Elon Musk:

Moviendo el Mundo con Una Tecnología a la Vez

ii

Elon Musk:

Moviendo el Mundo con Una Tecnología a la Vez

Introspección y Análisis de la Vida y Logros de un Magnate de la Tecnología

JR MacGregor

Elon Musk: Moviendo el Mundo con Una Tecnología a la Vez

Introspección y Análisis de la Vida y Logros de un Magnate de la Tecnología

Publicado por CAC Publishing LLC.

ISBN: 978-1-948489-60-7 (tapa blanda)

ISBN: 978-1-948489-59-1 (libro electrónico)

Este libro está dedicado a aquellas personas innovadoras que sueñan con cambiar y mejorar el mundo. A aquellos que siempre están un paso adelante de su época, y aquellos que son incomprendidos por lo mismo. Sigue innovando, sigue pensando, y nunca te rindas hasta que hayas logrado tu objetivo.

Asegúrate de revisar el primer libro de la serie 'Visionarios Billonarios':

Jeff Bezos: La Fuerza Detrás de la Marca

Tabla de Contenidos

Capítulo 1 – Perspectiva general

"Cuando algo es lo suficientemente importante, lo haces. Incluso si las probabilidades no están a tu favor."

— Elon Musk

Soy parte de una generación, al igual que Musk, que creció en un mundo donde el hombre había caminado sobre la Luna. Nació poco después de las misiones Apolo, donde todos los deportistas habían impulsado la imaginación de un planeta. Ese es el alcance de nuestra afinidad con los viajes espaciales: las historias sobre la gloria de las historias pasadas.

Por ello, siempre ha habido algo en mí que ha visto a nuestra generación carecer del tipo de tenacidad que se necesita para innovar grandes cosas; no solo innovar las redes sociales para compartir fotos del último viaje familiar (que realmente, nadie quiere ver) y el porno. Todas estas son innovaciones verdaderamente pusilánimes. Ha pasado mucho tiempo desde que hemos tenido impactantes innovaciones y un alcance colectivo hacia las estrellas.

No hemos hecho mucho en mucho tiempo. Claro, tenemos Internet, pero ¿qué más se ha hecho, además de comprar y publicar fotos en línea?

Después llegaron los años del transbordador cuando estaba en el bachillerato. Y, desde entonces, ha pasado algo aquí y allá, que no ha estado a la altura del primer paso de Armstrong, o los trece intrépidos días de Lovell. Hasta esta tarde.

No había planeado tomar el tiempo de mi ajetreado horario para ver lo que sería el frágil intento de una transmisión del lanzamiento del Falcon Heavy. La experiencia me recordó las numerosas y ansiosas transmisiones en vivo, las transmisiones caídas y con mal sonido, las imágenes granuladas y los asuntos urgentes que ocupaban la realidad de mi día. Pero, al contrario, llegué tarde y verifiqué mi página principal de YouTube solo para descubrir que, o tenía la hora equivocada o el lanzamiento se había retrasado. Eventualmente, la transmisión en vivo comenzó con un par de empleados de SpaceX y un montón en el fondo. Había un ambiente que no había reconocido. Fue vigorizante, y me quedé.

Los momentos en la cuenta regresiva se movían de forma rítmica y precisa, tal como lo haría un reloj suizo o, debería decir, como la precisión de Musk. Fue bastante perfecto; la cuenta regresiva comenzó y lo siguiente que supe fue que el astronauta estaba en posición, dentro del convertible Tesla, en su camino hacia Marte. Estaba sorprendido, eufórico y lleno de apreciación por las medidas que habían sido tomadas. Aunque el lanzamiento de un automóvil en el espacio tuvo que ser uno de los trucos publicitarios más brillantes jamás inventados, planificados y ejecutados, fue un testimonio de lo que podemos hacer como individuos, equipo, y especie.

Pero lo que pensé que fue irónico fue el hecho de que probablemente era el único coche eléctrico del mundo que usó queroseno para llegar a su destino. Y bastante. Me hizo pensar sobre la dicotomía de la mente de Musk. Por un lado, él habla constantemente de los problemas en el medio ambiente y de por qué tenemos que comprar automóviles eléctricos y utilizar energía solar (los cuales son muy útiles), pero, por otro lado, prendió un cerillo en un cohete de queroseno: el más grande de todos, y el primero de muchos. Así que, la dicotomía de sus intenciones y su mente es evidente. Cambia sin esfuerzo de un estado de existencia a otro, e incluso, lo puedes notar en sus puntos de vista sobre la IA. O tal vez solo es la forma en que nosotros abogamos por los ideales, pero participamos en las necesidades (incluso si lo último va en contra de lo primero). Musk no es diferente: denuncia los males de la IA mientras la usa en sus productos con un olor a hipocresía, pero, seamos sinceros; los seres humanos son complejos. Tendemos a enfrentar los golpes y tenemos diferentes opiniones en diferentes cosas que se basan en las circunstancias que los rodean.

Para el lego que no sea un gran admirador (nota: No soy un admirador que se crea el siguiente Jobs, Edison o Tesla; ni estoy totalmente atónito por sus acciones, palabras y acciones), Musk se presenta como un personaje excéntrico, que va desde la forma en que luce hasta la forma en que habla. Eso lo pasaré por alto, pero sí quiero sacar una lección de su vida.

Obviamente es consciente de que es un poco loco, y estoy muy lejos de él como para etiquetarlo –ya que no estoy calificado de ninguna manera para hacer tales declaraciones–, pero el hecho de que puede preguntarle a otros si creen que él está loco, nos demuestra que él lo cree, alguien se lo ha dicho, o lo está guardando muy bien. No lo envidio de ninguna manera porque creo firmemente que, para cambiar el mundo, tienes que caminar por la delgada línea entre la mediocridad y la locura; y de vez en cuando, pasar por el lado loco. Y eso es lo que, con todo el respeto, es Elon Musk.

Pero no estoy aquí para juzgar. Todos tenemos que equilibrar nuestros ideales porque vivimos en el mundo real. Y eso me lleva de vuelta al primer punto sobre Musk: la dicotomía de su mente. Él ve las cosas en dos dimensiones y, a veces, lo que ves en una dimensión puede ser totalmente distinto a lo que ves en otra dimensión. Este es el punto de partida que queremos hacer en este libro, además de colocar la mirada hacia las motivaciones percibidas y la vida de este gran impulsor.

Elegí a Elon porque es alguien que todos y cada uno de nosotros puede identificarse con él si decides triunfar en la vida, sin importar de qué rincón del mundo vengas; y esto incluye los rincones del mundo que van más allá de los países del primer mundo, donde los niños crecen rodeados con cosas que la mayoría de nosotros ni siquiera podemos imaginar. Musk creció rodeado del Apartheid en Sudáfrica, y ese no era el lugar más apropiado para los niños, especialmente para los más inteligentes. También era un lugar que fue marinado y empapado con racismo; muy diferente a nuestro típico punto de vista del racismo. Era un tipo completamente diferente, mezclado con actos y resultados malvados e impíos. Ese tipo de ambiente genera desprecio por toda la creación y crea un entorno social que no puedes imaginar.

Hay un sinnúmero de historias que puedes buscar fácilmente en Google que narran cómo era la vida en el Apartheid de Sudáfrica. Dos grandes hombres, mucho antes de que naciera Musk, han salido de las garras de este pasado: Gandhi en la India, y Mandela en Sudáfrica. Ambos estaban en medio de las atrocidades y crueldades de una mentalidad basada en el color de piel.

Déjame darte una idea de la mentalidad en Sudáfrica antes de que naciera y durante el tiempo que Musk estuvo allí.

Había tres clasificaciones: europea, mestiza y africana. Los blancos eran europeos (un término del privilegio social y legal, no necesariamente asociado con el continente), por supuesto, los mestizos eran aquellos de origen mixto y los africanos eran negros. Y ellos tenían pruebas para estas clasificaciones. Estas pruebas de raza fueron muy arbitrarias. Por ejemplo, tu raza estaba determinada por cosas como las medias lunas de tus dedos. Si eran de color blanquecino, eso significaba que tenías sangre negra y hacía que fueras mestizo o negro. A las personas de ascendencia china se les consideraba mestizas, pero las que tenían antepasados japoneses se consideraban blancas. Imagínate.

Los caucásicos eran obviamente blancos y se les llamaba europeos y, si eras rubio y de ojos azules, mucho mejor. Hubo otra prueba interesante, aunque aleatoria: las pruebas con el cabello. Si ponían un lápiz en tu cabello y se caía, aunque tuvieras piel oscura, podrías considerarte mestizo (esta era una especie de promoción). Por otro lado, si los lápices permanecían en tu cabello y no se caían, entonces tendrías el pelo nudoso y eso te convertiría en africano.

De ninguna manera y en cualquier mundo civilizado, esto puede considerarse remotamente divertido o inocuo. Esto se institucionalizó y también el racismo sistémico de la clase más vil. Cabe resaltar que este libro no hablará sobre la política racial en Sudáfrica, pero va a mostrar el pensamiento de las personas en el país que Elon Musk pasó la primera parte de su vida.

En las ciudades, a los africanos (recuerda, ese es el término para los de piel negra) no se les permitía el acceso por la noche, y sólo había dos formas en que podían permanecer en la ciudad. Necesitaban permiso y necesitaban ubicarse en una casa que estuviera al lado de la casa de los blancos para los que trabajaban. Si el africano tenía permiso de estar en la ciudad en la noche, se podía saber mediante los sellos de su Cartilla; era algo que todos y sólo los africanos (negros) tenían que llevar consigo en todo momento. Los europeos no tenían esa carga.

La violencia contra los africanos fue **generalizada**. Los europeos podían abusar y maltratar a los africanos con impunidad, y la valentía, parte de la mentalidad colectiva, prevalecía. Los largos viajes en tren no eran seguros para nadie y, mucho menos, el viaje por carretera. Este tipo de condiciones fueron realidades cotidianas para los habitantes de Sudáfrica. La narrativa, aquí y en el resto del libro, ni siquiera llega a rasgar la superficie de las deplorables tensiones psicológicas que le imponían a una persona, especialmente si esa persona ya era empática por naturaleza y fuera alguien que no se entregara naturalmente a lo ilógico que eran los perjuicios de la raza. Esa era la base de desagrado que Musk enfrentó mientras crecía.

Los africanos no podían asistir a la escuela, pero los mestizos sí, por lo que mucha gente intentó cambiar su raza haciendo la prueba de lápiz, y decenas de miles tuvieron éxito. Pero la violencia de las pandillas no cedió. Existió un odio arraigado hacia las personas de color y, entre todos, se malentendía el valor de la vida. Incluso aquellos que eran mestizos o negros en Sudáfrica, estaban convencidos de que su lugar estaba en las obras. Hace casi treinta años, yo estaba viajando con un adolescente de clasificación mestiza. Recorrimos juntos la ciudad desde el aeropuerto de Heathrow y, a lo largo del camino, veíamos cómo la ciudad se ocupaba de sus asuntos, hasta que nos topamos con los recolectores que colocaban contenedores de basura al lado de los camiones, antes de vaciarlos.

Mi nuevo amigo estaba en shock al ver "hombres blancos" haciendo ese trabajo y dijo que no podía ser, que no estaba bien. Tenía una noción profundamente arraigada que, para él, era antinatural que un hombre de piel blanca fuera un obrero. Le tomó algunos años darse cuenta de que todos los hombres eran iguales. Pero si él se sentía de esa manera, imagina cómo se sentía la población blanca de Sudáfrica y cómo se dictaba la manera en que se comportaba la gente alrededor de ellos. Un sentido de derecho y una intimidante sensación de bravuconería. Y, aunque Musk no era mestizo o africano, también sintió la punta del látigo del bravucón.

Su experiencia durante el bachillerato fue más que la de un nerd siendo destrozado por la mano de los abusones del vecindario. Era una mezcla de animadversión personal que tenían hacia él y la bravuconería de un país que se había filtrado a través de la juventud de la ciudad, y eso hacía que no se viera la igualdad entre los hombres; siempre era Blanco sobre Negro, Fuerte sobre Manso, Fuerza sobre Cerebro.

En el bachillerato, hubo un tiempo donde estuvo atrapado literalmente entre el diablo y el profundo mar azul. La única diferencia es que no era tanto una opción. Dividió su tiempo en la escuela donde asistía a clases, habló con sus amigos y, o le daban una paliza o pasaba la tarde corriendo y escondiéndose de los que lo habían marcado como presa; luego empacaba y se iba a su casa en la segunda mitad del día y ahí leía, hacia sus tareas, leía un poco más, y se enfrentaba a las dificultades de un padre que era la causa de mucho dolor y angustia en su vida y en la vida de sus hermanos. Contaré más sobre eso en los siguientes capítulos.

Luego está este tercer factor: el Servicio Nacional. Servir en las fuerzas militares durante el Servicio Nacional es algo que hace todo adolescente. Ya lo han implementado varios países, aunque no es algo que tengamos aquí en los Estados Unidos. Es equivalente a un borrador, pero es algo más perpetuo y obligatorio donde cada persona, cuando llega a cierta edad, tiene que alistarse y cumplir un período de tiempo obligatorio en que se les capacita y asigna, si es necesario. Se supone que tiene dos propósitos: El primero es que se supone que proporciona al país jóvenes capaces para participar en los deberes militares, que, si es necesario, incluyen el control doméstico. El segundo, y la razón por la cual está implementada en muchos países, es que está destinado a mejorar el carácter y la personalidad de los hombres jóvenes del país. Se ha demostrado que, estar un período de dos años en el ejército, incrementa la capacidad de la persona de tener éxito en el mundo y ser capaz de aprender la disciplina necesaria para ser parte de una fuerza laboral efectiva.

Eso de tener que unirse a las fuerzas militares no era algo en lo que Musk estaba interesado. De hecho, odiaba la idea de entrar a un ambiente aislado donde estaría expuesto a más bravucones y a la posibilidad de tener más burlas y acoso; probablemente algo mucho peor de lo que había enfrentado en la escuela. La segunda cosa, incluso si era sólo para hacer el Servicio Nacional, era que había mucho lavado de cerebro con respecto a lo que tenían que hacer, y la política del Apartheid tenía que ver con eso. Tendría que ser forzado a escuchar esa propaganda, y lo que es peor, probablemente tendría que aplicarla cuando fuera asignado. No era ningún secreto que los militares infligían abusos innecesarios y les daban latigazos a los negros. Si crear una vida y seguir con su interés en la electrónica y el software fueron el "tirón" que sentía al ir hacia los Estados Unidos, entonces el miedo de ingresar a las fuerzas militares fue el "impulso" para salir del Apartheid de Sudáfrica.

Hay muchas historias en el Internet; tantas que, de hecho, no estaba planeando incluirlas en el libro. Pero, sin importar cuánto trataba de quitarlas, no era del todo posible darte una idea precisa del hombre o las fuerzas que daban forma al hombre – en este caso, las fuerzas que formaron a Musk– sin tener que entrar en la brutal paliza que le dieron cuando era niño, y la que lo trajo a pulgadas de su vida.

Las fuerzas que existían a su alrededor cuando era niño, desde la ruptura de un hogar feliz hasta la violencia diaria con la que fue tratado en el patio de la escuela, y las duras condiciones que enfrentaba en la casa de su padre después del divorcio, todo eso habría sido desalentador para cualquier otro niño. Incluso si yo tuviera que pasar por eso, creo que me habría vuelto loco, y sospecho que Musk también es muy consciente de cómo actuar de modo que no se destape su locura.

Pero cuando añades estos eventos al hecho de que fue sometido a algunas de las condiciones más duras que alguien pudiera imaginar, manteniendo su capacidad intelectual intacta, muestra la resistencia del espíritu humano. Defino la capacidad que todos nosotros poseemos, en diversos grados. Esta define el caché de la fuerza y la capacidad mental a la que todos podemos recurrir cuando las cosas se ponen difíciles y cuando la esperanza es difícil de distinguir entre los sueños imposibles.

Siempre he entendido, y todos mis libros que hablan sobre personajes famosos de la historia y el comercio lo reflejan, que las biografías no sólo hablan de nombres, fechas, lugares y fragmentos lascivos de información. Las biografías tratan sobre cómo las personas exitosas lo hicieron posible y lo hicieron más allá de lo que a veces admiramos (y, siendo honestos, a veces detestamos).

Para que las biografías tengan sentido, necesitamos verlas en contexto y tenemos que ver el contenido, con comprensión en lugar de juicio. Cuando juzgas a una persona, las lecciones que tienen que ofrecer, se desperdician. Todos tienen lecciones que enseñarnos. Churchill o Hitler, Gandhi o Lenin, las lecciones de la vida y el camino hacia nuestro crecimiento personal están ahí, sólo si los miramos sin juicio y malicia. Lo mismo ocurre con personas como Gates, Jobs y Branson, sobre quienes he escrito, y sin duda, también aplica a Musk.

La razón por la que decidí escribir sobre Musk no es por la riqueza que ha logrado reunir; ciertamente, no veo su riqueza como algo que sea tan sorprendente. Después de todo, hay personas más ricas que él. Pero lo que realmente aprecio es su capacidad de aplicar el enfoque y atención a las cosas que su mente evoca y luego puede hacerlas realidad.

Hay un ciclo conocido que ocurre dentro de cada uno de nosotros y ese ciclo es una espiral mortal o un salto hacia la cima. Ese ciclo trata sobre la capacidad de tener potencial, careciendo la creencia de que puedes hacer que algo sin perder demasiado.

Muchas personas tienden a tener ideas, pero nunca llegan a ejecutarlas porque piensan: "¿De qué sirve? Probablemente no funcionará." O "¿de qué sirve? Alguien más ya lo habrá pensado." O peor, "¿de qué sirve? No va a valer mucho." Y este tipo de pensamientos alimentan nuestra psique y no terminamos colocándonos en el camino hacia la grandeza, sino que nos podríamos en el camino hacia el dicho, "¿ves? Te lo dije", cuando no tenga frutos. Normalmente, cuando no funciona, eso es exactamente lo que sucede. Terminas demostrando que tus dudas estaban en lo correcto. Veo a Musk como alguien que nunca, ni por un momento, pensó que era imposible. Pero, lo más importante es que nunca se preocupó por la recompensa. Una vez que quites el dinero de la ecuación, no tendrás nada que temer porque no hay inconvenientes.

Con demasiada frecuencia, leemos material que se disfraza de retórica motivacional y nos alimenta con nociones que afirman que centrarse en la recompensa es toda la energía que necesita. Ha habido algunos que tienen evidencias para señalarlo, pero les aseguro que, cualquier evidencia que sugiera que la recompensa es la principal motivación, es una evidencia enferma y artificial. En el caso de Musk, estaba hambriento de contribución y logros.

Capítulo 2 – Historia materna

> "No estoy tratando de ser el salvador de alguien. Sólo estoy intentando pensar sobre el futuro y no estar triste."

— Elon Musk

Maye Haldeman, la madre de Musk, nació en Regina: la capital de Saskatchewan, Canadá. Incluso desde edad temprana, Maye era extremadamente atractiva en apariencia y vivaz en personalidad. Sin duda, su energía se agravaba por una familia que no conocía el significado de relajarse o tomarlo con calma. No necesariamente podían ser etiquetados como sobresalientes –un término suspicazmente peyorativo–, pero eran de alto impacto y tenían una gran cantidad de energía. Siempre estaban en movimiento y siempre hacían cosas que no eran típicas para una familia canadiense promedio.

Los padres de Maye, Winnifred y Joshua, fueron pioneros, incluso si solo era el comienzo de los años cincuenta en Norteamérica. La historia mira los años cincuenta en el sur de Canadá con el mismo lente que veía los Estados Unidos de James Dean: salvaje, con éxito, y rebelde. Eso típicamente caracteriza a la familia Haldeman. Estaban financieramente bien posicionados; lo suficiente como para empacar y trasladar a toda su familia a cualquier parte del mundo que quisieran. Y, ya que los Haldemans eran bastante aventureros y podían permitirse el lujo de comprar su propio avión, empacaron, cargaron el avión y volaron hacia el otro lado del mundo, hacia Sudáfrica.

Como el pájaro vuela, en línea recta, eso es aproximadamente 8,000 millas. Pero si lo piensas bien, ese avión no habría podido volar en línea recta; necesitaba saltar los mares y dirigirse hacia el este antes de llegar a Europa, y luego volar hacia el sur y dirigirse hacia Pretoria, y esas eran más de 10,000 millas. Así que piensa en eso por un minuto. No es como tomar la I40 y conducir durante tres días desde Nashville hasta Flagstaff. Si piensas manejar desde Tennessee hacia el Gran Cañón en el verano, esta es una gran experiencia con los niños. Ahora intenta hacer este vuelo con cuatro niños, dos de los cuales solo tenían dos años (Maye y su hermana gemela tenían dos años cuando la familia hizo este viaje).

La hermana gemela de Maye es alguien de quien probablemente habrás escuchado: Kaye Rive. Sí, ese es su nombre de casada. Antes de eso, era Kaye Haldeman. (Interesante conjunto de nombres para las gemelas: Maye y Kaye.) Maye se casó con Errol Musk y se convirtió en Maye Musk, mientras que Kaye se convirtió en Kaye Rive, madre de Peter y Lyndon Rive de Solar City. Sí, Peter y Lyndon son primos de Elon. Que pequeño es el mundo, ¿no?

Bueno, de vuelta a la excursión que los Haldeman hicieron cuando Maye y Kaye solo tenían dos años. Debe haber sido un viaje interesante cruzar el Atlántico, y la única manera de que un avión con un motor podría hacerlo sin quedarse sin combustible sobre el Atlántico habría sido abrazando la costa de Nueva Inglaterra hasta la Nueva Escocia y luego cruzar hacia Islandia antes de dirigirse a Noruega y bajar a través de la Europa continental y, a partir de ese momento, se tendría que volar por tierra, excepto por el cruce del Mediterráneo; a menos que lo cruzaran cerca del Nilo en Egipto y continuaran por toda África continental hasta que llegar a Sudáfrica. Esta ruta es buena por dos razones: En primer lugar, es la mejor ruta para cruzar el Atlántico con un avión de un solo motor.

No puedes simplemente conectar las latitudes y longitudes en el GPS y hacer una línea recta desde Regina, Canadá a Pretoria, Sudáfrica. Bueno, en primer lugar, no había satélites GPS para transmitir datos, ni receptores GPS para recibir los datos SAT, ni una base de datos de mapas para darle sentido a todo esto. Eran, después de todo, los años cincuenta. Pero incluso, si dejas todo eso de lado, recuerda que estaban volando un solo motor (de pistón) y, en caso de falla, se debe tener la capacidad de deslizarse hacia adelante, atrás, izquierda o derecha, siempre dirigiéndote hacia tierra para realizar un aterrizaje seguro de emergencia. Por lo tanto, para que esto suceda, se tiene que tener la tierra dentro de una trayectoria de planeo basada en tu altura. La única manera de hacerlo sería volar a cierta altura y abrazar la costa de una manera que, en caso de que ocurriera un problema, simplemente tendrías que deslizarte hacia la costa. Aunque sea muy seguro, esto convertiría tu viaje en una travesía muy larga debido a que tienes que detenerte cada tres o cuatro horas y llenarlo de Avgas. Lo que hizo que el viaje fuera aún más interesante fue que fue realizado por cuenta propia. Eso quiere decir que no se utilizó ningún equipo electrónico o de navegación por radio. Fue realizado con viejos mapas, reglas, compases, y transportadores.

El abuelo Haldeman compró su avión y obtuvo su licencia de piloto privado mientras trabajaba como quiropráctico acreditado en Canadá. Por cierto, Musk también es un piloto privado. Justo después de la venta del Zip2, por las fechas en que compró el McLaren, también compró un avión de un motor.

De Vuelta a los Haldeman.

El Dr. Haldeman era un miembro popular y respetado de la sociedad, y tenía una próspera práctica cuando decidió que Canadá no estaba políticamente al margen de sus ideales. Entonces, empacó, recogió y se mudó a Pretoria. Curiosa elección de ciudades, pero los Haldeman buscaban respuestas a la vida y naturaleza. También estaban buscando un descanso de la monotonía del Oeste y el romance de la selva africana. Los Haldeman eran ciudadanos canadienses a pesar de que Joshua era de Minnesota. Maye y los otros niños nacieron en Canadá. Verás más adelante que Elon Musk encontró su camino hacia Norteamérica, cuarenta años después de este hecho.

Una vez que llegaron y se situaron en Pretoria, los Haldeman voladores no se detuvieron allí. Verás, el abuelo y la abuela Haldeman estaban buscando la ciudad perdida en el desierto y, con ese objetivo, hicieron una docena de vuelos, cruzando el continente africano dentro de su pequeño avión.

Pero ese no era el alcance o límite de su vuelo. Los Haldeman también hicieron viajes más largos y navegaron su camino –con toda la familia– por todo el mundo y hacia abajo, hacia Australia. Ese fue un viaje de aproximadamente 14,000 millas que iba de regreso a África del Norte, luego cruzaba por Asia Menor, sobre la India, y luego sobre el Sudeste Asiático, yendo por la Península Malaya a través de Indonesia, y a lo largo de las islas de Nueva Guinea y hasta Australia, con todos los niños **en el asiento** trasero. El "¿ya llegamos?" adquiere un sabor completamente diferente en esas circunstancias.

Los Haldeman fueron una gran influencia para los niños Rive y Musk mientras crecían muy cerca el uno del otro. Ellos escuchaban historias de los abuelos que tomaron a Sudáfrica por sorpresa. Eran almas valientes que estaban buscando un buen desafío.

Maye y Kaye los criaron juntos y, entre los primos tienen una buena relación que, como puedes ver, todos son fuertes emprendedores por derecho propio. Entre los esfuerzos tecnológicos de Elon, las aventuras verdes de Kimbal, y la energía de los hermanos Rive, lo que tienes es una familia que ha tomado este mundo por sorpresa. Esa es una plataforma que debes tener en cuenta cuando estudias a Musk y, sobre todo, trata de comprenderlo para que puedas encontrar la luz en tu vida y hacer una diferencia, encontrando tu manera única así como él lo hizo, y como sus hermanos y primos lo hicieron.

Vanity Fair los llama la "Primera Familia Tecnológica". Y tengo que estar de acuerdo.

Había mucha potencia intelectual en la cepa Haldeman. Los Rive y los Musk fueron un increíble grupo de niños que estaban unidos, más allá de las ataduras que los juntaban con sus madres. Ellos tenían otra similitud que iba más allá de la genética:

el fervor del intelectualismo. Imagina tener conversaciones con tus hermanos y primos sobre la eficacia de la banca a la edad de doce años. No es exactamente de lo que yo estaba hablando a esa edad. ¿Qué tal tú?

Pero eso solo muestra el calibre de su semilla. En otra famosa historia de su juventud, los primos se juntaron cuando Musk todavía era un adolescente y decidieron que querían poner en marcha un negocio.

Cuando tenía doce años, Musk era un programador avanzado, y fue capaz de programar un juego que tuvo suficiente interés como para ser publicado, *y* además, le pagaron por eso. No hay duda de que es trabajador y quiere ganar dinero. Pero ganar dinero rápido no es lo único que le interesa.

Él y su grupo de hermanos y primos se juntaron y decidieron que querían abrir una galería cerca de una escuela. Musk entendía muy bien la mercadotecnia y lo entendía desde una perspectiva más funcional que académica. Este grupo de niños industriosos hizo todo lo que tenía que hacer. Obtuvieron los documentos y consiguieron el contrato de arrendamiento, luego aplicaron para la licencia e hicieron todo lo relacionado a eso. Todos aplicaron una cantidad significativa de pensamiento y trabajo, y ya cuando estaban en la recta final, encontraron que la documentación municipal necesitaba la firma de un adulto **mayor** de 18 años. Ninguno de ellos lo había visto venir y se sorprendieron por completo. No sabían a dónde recurrir. Probaron con Maye, pero ella estaba demasiado ocupada laborando en dos trabajos como para tomarse el tiempo de ir al centro a firmar los documentos. Intentaron con el Dr. Rive, pero no solo no estaba dispuesto, sino que estaba absolutamente molesto de que todo eso había sucedido sin el permiso de alguno de los padres. Al final, el negocio no pudo ser lanzado porque no había un adulto dispuesto a firmar.

Esto dice mucho de este grupo de niños. Hay mucha energía e imaginación. Sólo que no terminaron de comenzar a recorrer el camino emprendedor porque eran adolescentes. Y esto viene desde antes, mucho antes de tener conversaciones sobre actividades bancarias y comercio. Pusieron el pie en el pavimento cuando se dieron cuenta de que había muchas oportunidades diferentes en diferentes dimensiones, y fue así como lo vieron.

En una ocasión, se dieron cuenta de que el chocolate era un producto barato a comparación de la mayoría de los otros dulces. Era fácilmente costeable y era un buen chocolate, no como el dulce que está hecho para parecerse al chocolate (que ves ahora en los estantes). El chocolate que podían adquirir era bastante fácil de encontrar y era bastante bueno. También se dieron cuenta de que había una gran disparidad entre el costo unitario, el chocolate, y el precio que la gente estaba dispuesta a pagar, si estaba hecho de otra forma. Esa fue la primera dimensión.

Decidieron cambiar la forma del chocolate que estaba fácilmente disponible y convertirlo en huevos de Pascua y, de esa manera, lo que antes valía centavos ahora podía venderse por mucho más. Pero no se detuvieron allí. Cuando terminaron, lo que podría haberse vendido como como huevos de Pascua para un Rand (la unidad de moneda sudafricana), se vendió por diez Rand. Recuerda, el chocolate solo requirió un pequeño costo, derretirlo y darle forma de huevo exigió habilidad, pero podían darse la vuelta y venderlo por 1 Rand; era una gran ganancia. Pero no solo hicieron eso. Al contrario, fue Elon quien decidió venderlo por 10 Rand y, en vez de ir a algún lugar y venderlo, se dirigieron a la zona más lujosa en Pretoria y tocaron puertas, luciendo sus mejores sonrisas y trajes más elegantes, solicitando 10 Rand por algo que podías conseguir en la tienda por 1 Rand. La mayoría de las veces, la diferenciada clientela pagó el precio de venta, pero en el raro caso de que se les preguntara por qué era tan caro, los niños regresaban con una línea bien ensayada, diciendo que eran emprendedores y que deberían ser recompensados por eso. Ellos los dominaban por completo.

¿Todo esto te suena familiar?

Debería, ya que es exactamente lo que hizo Elon cuando comenzó a vender Teslas. Retiró las capas del comercio y entendió que los ricos siempre están dispuestos a pagar más en agradecimiento por algunas cosas. Luego podrías tomar ese mayor margen y reinvertirlo en otros autos. Y así es como posicionó la marca Tesla, y así es como financió el desarrollo de los ciclos de producción, yendo primero al consumidor rico. No tengo duda de que lo hará con SpaceX y sus primeros lanzamientos al espacio. Después hablaremos más sobre eso.

La capacidad intelectual significativa entre los niños se debió en gran manera a la forma en que las gemelas Halderman los criaron. Ambas hermanas tienen tres niños. Los Musk incluían a Tosca, Kimbal y Elon, y los Rive incluían a Lyndon, Peter, y Russel.

La única forma de describir a los niños era la misma para describir a sus madres y a los Haldeman en general: energía. Tenían energía pura corriendo por sus venas, en tal abundancia que podían asumir casi cualquier proyecto y luego hacerlo posible.

Recuerdo durante los debates presidenciales en 2016 –no te preocupes, no voy a hablar de política aquí–, el candidato Trump habló sobre los candidatos con poca energía, y tenía razón. Las personas con poca energía se mueven mucho más despacio que los perezosos. Pero la familia Musk y **Rive** tenían mucha energía y, por lo tanto, tenían toda la motivación en el mundo y la energía para hacer que algo sucediera.

Hay un aspecto genético que influye porque, si nos fijamos en todos los chicos de esas dos familias, verás la misma energía que el abuelo Haldeman tenía en la forma en que hizo exitosa su práctica y en la forma en que era una figura popular en la política de la región donde vivía. También puedes ver que él era una especie de Gun-Ho cuando emprendió la búsqueda de la ciudad perdida del desierto de Kalahari. El abuelo Haldeman falleció en 1975 en un accidente aéreo; Elon todavía era un niño cuando sucedió, pero ese mismo gen aventurero y de exploración que tenía Joshua Haldeman, sin duda, fue transmitido hacia sus nietos.

Maye Haldeman fue una mujer joven y atractiva, así como Kaye. Al principio de su carrera, comenzó a modelar, pero no era alguien que solo caminaba hacia una vida de glamour como modelo, como hacen muchas, ya que también tenía una buena cabeza sobre sus hombros. Era intelectualmente aguda y encantadora en lo personal, y Errol Musk no podía quitarle los ojos de encima desde la primera vez que se conocieron. Ella dijo que no muchas veces y, obviamente, como nos dice la historia, su tenacidad ganó el día. En ese tiempo, Errol era un hombre joven y guapo, y lo más importante, era igual de inteligente que la hermosísima Maye. Errol pasó a convertirse en un ingeniero y Maye completó dos maestrías.

Cuando se casaron y los niños nacieron, el negocio de Errol estaba yendo bien y ellos vivían en uno de los vecindarios más lujosos de Pretoria. Errol era un ingeniero civil especializado en la construcción de viviendas y era un padre estricto. Si desenfocaras un poco para mirarlo, verías a Errol y pensarías que estás viendo a Elon. Elon y Errol se parecen más entre ellos que Kimbal y Elon, o incluso Kimbal y Errol.

Pero las similitudes en el aspecto y la capacidad de activar la concentración de sus mentes es donde empiezan y terminan las similitudes entre el Musk más viejo y el más joven. Todo lo demás es diferente.

Existe un gran secreto familiar que habla sobre la forma en que Errol trató a los niños y, realmente, nadie quiere hablar de ello. Se mantienen con el labio muy apretado y siento que eso dice mucho. Después voy a tocar ese punto, pero, por ahora, debes tener en cuenta que Errol, por todas las historias que puedas haber escuchado, no es una mala persona o un mal padre. Ni siquiera fue un mal esposo.

Si quieres dar un paso más allá, sólo piensa en eso.

Después de mudarse a la casa más grande de Pretoria y cuando las cosas iban realmente bien para la familia Musk, las grietas entre marido y mujer comenzaron a notarse. La pareja que estuvo muy enamorada y eléctricamente atraída entre sí, había tenido unos cuantos roces hasta distanciarse. Nueve años después del matrimonio, los Musk se separaron y los niños siguieron a Maye.

Pero eso no duró mucho porque, después de un año o dos, Elon pidió vivir con Errol. Cuando Maye preguntó por el motivo, la única razón que dio Elon fue que 'el lugar de un niño estaba al lado de su padre'. Poco después, Kimbal lo siguió y, poco después, Tosca también lo hizo. Los tres niños volvieron con su padre y se quedaron allí por un tiempo.

El dinero no era un problema en el hogar Musk, y el hecho de que fueran europeos en el Apartheid significaba que tenían una vida bastante buena. Errol se llevó a los niños a varios viajes largos dentro de Sudáfrica e incluso en el extranjero. Volaron a países que le mostraron a Elon y a sus hermanos que existía un mundo fuera de Sudáfrica y que era abundante y sorprendente. Una de las motivaciones que Errol tenía para hacerlo fue la conversación que tuvo con el Elon de tres años, donde él le preguntaba a su padre, "¿dónde está todo el mundo?" Por alguna razón, esa pregunta y la tenacidad con que Elon emprendió todas las cosas, hizo que Errol quisiera mostrarle a su hijo más del mundo que lo que se podía ver en los alrededores de Pretoria.

El hecho de que los niños volvieron con su padre dice mucho acerca de la dinámica que existía entre ellos y esto ha sido mal interpretado. Hay muchas cosas en línea que exponen a Errol de forma negativa y eso no es del todo cierto. ¿Qué tan malo podría haber sido si los niños decidieron quedarse con él? Piensa en eso por un minuto y te darás cuenta de que las razones por las que quería quedarse con él y las dificultades que habían crecido no están ni siquiera cerca de lo que se dice en el Internet y lo que se insinúa. El mismo Errol es un hombre encantador con un profundo intelecto y un interesante sentido del humor. Está lleno de energía y obviamente la necesitaba porque, sin eso, no habría sido capaz de mantenerse al ritmo enérgico de Maye, como mencioné anteriormente.

Capítulo 3 - Historia paterna

"La idea de estar tumbado en una playa como actividad principal suena horrible para mí. Me volvería loco. Tendría que estar tomando drogas fuertes. Estaría súper aburrido. A mí me gusta la alta intensidad."

— Elon Musk

Errol Musk y May Haldeman se divorciaron cuando Elon tenía nueve años. Tan joven como era, él estaba completamente al tanto del evento, aunque es posible que no haya tenido pleno conocimiento de las condiciones precedentes o de sus consecuencias. Desde su perspectiva, la familia feliz que vio con sus ojos pre-púberes había llegado a su fin y ahora estaba saliendo de la casa en la que ya estaba familiarizado y se estaba mudando con su mamá y hermanos. Todavía se mantenía en contacto con sus primos y, por supuesto, a su lado estaba Kimbal, incluso si Maye no lo estaba. Ella estaba lo suficientemente ocupada, laborando en dos trabajos para criar a tres hijos.

Esta parte de su vida tuvo un impacto en él, a medida en que los días se convertían en semanas, y las semanas en meses. Por mucho que amaba a su madre, a su hermano y hermana, sentía un profundo anhelo por estar con su padre. Era insoportable y las lágrimas que tuvo en ese momento, aunque fueron principalmente en privado, eran lágrimas que no entendía del todo.

Hay que observar dos áreas de la repentina separación de Musk y su padre. Aunque no estaban tan lejos, el hecho de que su presencia no estuviera bajo el mismo techo hizo una gran diferencia para un niño que tenía dificultades en el mundo exterior y dependía mucho de la familia. La segunda área a observar fue que los niños –todos hombres– tenían mucho que aprender de sus padres. Es un hecho genético, y los que generalmente lo sienten que son los que están en contacto con sus sentimientos o los que tienen personalidades hipersensibles.

Ciertamente, Elon Musk hace honor a su reputación de ser hipersensible. Esa hipersensibilidad fue la razón principal por la que se retiró de los compromisos sociales y es la misma razón por la que fue capaz de unirse a la búsqueda del conocimiento que se le presentó. Cuando eres hipersensible y empático, tu única fuente de consuelo viene de la fuente del placer predecible; en el caso de Musk, era la lectura. Leer le dio una sensación certera de calma. Lo que leía no podía lastimarlo ni hacerle daño, pero, lo más importante, es que lo que leía no lo agobiaba de la misma manera en que las personas y los acontecimientos a su alrededor lo hacían.

Al contrario, el mundo que lo rodeaba lo abrumaba constante y profundamente. Cuando tienes una personalidad hipersensible, tiendes a asimilar más que otros. Piensa en ello de esta manera; imagina que tu mente y sentidos son un tanque de agua, y que este tanque está conectado a un tanque más grande que contiene el agua. Por ahora, supongamos que el tanque más pequeño es la psique de una persona y el tanque más grande con el agua es el mundo que rodea a esta persona.

Ahora, la forma en que los dos tanques están conectados es a través de un conducto. Un tanque normal tendrá un conducto de una pulgada de diámetro y, con este conducto, el agua del tanque externo puede fluir a un ritmo moderado para llenar el tanque interno. Entiendes esa analogía, ¿verdad? Los estímulos del mundo exterior ingresan a tu psique a un ritmo moderado; la vista, el sonido, el olfato y todos los eventos que suceden a tu alrededor. Con este ritmo moderado, puedes administrar la secuencia de información entrante.

Para una persona hipersensible o empática, es como tomar el mismo tanque de agua y, en lugar de tener un tanque externo drenando el agua hacia el tanque interno a través del conducto de una pulgada, es como colocar una docena de tanques más grandes, conectarlos al tanque interior y enlazar cada uno de ellos con un conducto de cincuenta pulgadas de diámetro.

Cuando se le coloca en un entorno idéntico, la persona promedio y la persona empática experimentan eventos muy diferentes. La persona empática absorbe más de lo que lo rodea, mientras que la persona promedio simplemente no lo hace. Entonces, la persona promedio es capaz de procesar lo que percibe de una manera manejable mientras que la persona empática (que no está acostumbrada a su poder) se ve abrumada. Las personas empáticas que no están acostumbradas a esto, generalmente se refugian en sí mismas o hacen algo que corta el resto de las corrientes de información. Ellos aprenden a enfocarse para no sentirse abrumados. Musk era este tipo de niño.

Capítulo 4 – Los primeros años

"Llegué a la conclusión de que debemos aspirar a aumentar el alcance y la escala de la conciencia humana con el fin de comprender mejor qué preguntas hacer. En realidad, la única cosa que tiene sentido es luchar por una mayor iluminación colectiva."

— Elon Musk

Para cuando él tenía tres años, los padres de Musk comenzaron a notar constante y frecuentemente que se retraía a sí mismo. Estaban bastante preocupados. Siendo un niño de la misma generación, puedo decirte que la psiquiatría no era lo que es hoy. No creíamos saber de qué se trataba, por lo tanto, no le diagnosticaron dolencias siniestras. Simplemente lo dejaron ser.

Resulta que Musk era empático y no se retraía. Al contrario, contrarrestaba la corriente entrante enfocando su energía en un pensamiento o evento y dedicaba todo su esfuerzo en contemplar o comprender.

La mente humana es una obra interesante para algunos de nosotros. La mente de Musk es uno de los pocos ejemplares vivos que alcanza un nivel de capacidad que es bastante raro y está envuelto por circunstancias únicas. El genio de Einstein vino de su capacidad de imaginar. El genio de Newton vino de su capacidad para observar cosas y encontrar formas de explicarlas. El genio de Edison provino de un meticuloso seguimiento de errores e hipótesis; una especie de proceso meticuloso de eliminación. El genio de Jobs vino de reconocer el orden y la estética. Todos los grandes hombres y mujeres del mundo tienen una marca específica de genio que suelen capitalizar. En el caso de Musk, su genio estaba enraizado en su capacidad de dirigir su atención, apuntar su enfoque, y no salir de él hasta llegar al punto de asimilar por completo el conocimiento en el que estaba enfocado, o encontrar la solución que estaba buscando.

Si no has leído nada sobre de Musk, es probable que tengas la misma impresión de que es un genio con memoria fotográfica. Y es verdad. Si sabes eso, entonces también sabrías que es un lector ávido. Bueno, llamarlo lector ávido sería como llamar santo al Papa. Su lectura ha sido el sello distintivo de todo lo que significa ser un Musk. Pero tenemos que mirar esa capacidad a nivel microscópico para entender los poderes de la lectura, la memoria y la asimilación de datos para poder darle sentido.

Cuando era niño, su padre solía darse cuenta de que, muchas veces, Musk se quedaba mirando al vacío. Pero lo que hay que destacar es que sus ojos no estaban vacíos y vidriosos, sino que eran intensos y vivos. Sin embargo, no conectaba con el resto del mundo cuando estaba en medio de uno de estos episodios. Y sucedió muy a menudo. Esto fue antes de que pudiera leer, y no se entiende claramente por qué, pero se consideró que era un fenómeno relacionado único en Elon, de entre sus hermanos.

Hay tres áreas que debes entender sobre Musk: La primera es su capacidad para enfocarse intensamente en lo que sea que esté prestando atención. La segunda es su capacidad para no distraerse de ese evento y, por último, su capacidad para memorizar todos los aspectos del evento. Esto ciertamente se aplicaba a la lectura y diagramas, pero no se limitaba a ellos. Lo aplicaba a todo lo que sus sentidos presenciaban mientras prestaba atención.

La memoria de una persona es bastante intuitiva para entender si estás jalando las cuerdas correctas. En el caso de la memoria, se trata de tener neuronas en el cerebro y luego asociar esas neuronas con otras neuronas existentes para formar recuerdos asociativos y luego construir sobre eso. No vamos a entrar en detalles de la creación o los recuerdos de la memoria, pero haremos una breve visita en la forma en que Musk procesa la suya.

Cuando ves algo a la ligera, tu mente lo registra. De hecho, grabar la memoria no siempre es el problema. Si estuviste expuesto a una secuencia de tarjetas didácticas, todo se grabará en tu cerebro y, en particular, hay tres cosas que pueden suceder. La primera es una reacción química que almacena la memoria a corto plazo en formato químico. Puedes pensar en esto como el área de preparación. Una vez hecho esto en el hipocampo, la parte del cerebro que sutura los eventos en tu mente y dirige la grabación, tiene que decidir si este recuerdo es algo que recordarás con frecuencia o no. Si determina que necesita ingresar frecuentemente a este recuerdo, lo almacenará de manera que sea fácilmente accesible dentro de tu memoria consciente. Si determina que no necesita acceder a él con frecuencia, lo almacenará en una especie de memoria subconsciente. Digo 'especie de' debido a que el tipo de memoria del que estamos hablando aquí se siente como que es inconsciente porque no es accesible conscientemente y necesitas hacer grandes esfuerzos para recuperarlo. Hay al menos dos formas de determinar si tu cerebro lo almacena en la memoria consciente o en la subconsciente. La primera es la forma en que se grabó. Si se le prestó mucha atención o sensibilidad, entonces ese recuerdo nos "impresiona" y se almacena en la memoria consciente. Si simplemente se absorbe al pasar, entonces no tiene intensidad, y se almacena en la memoria subconsciente y, cuando necesitas acceder a ella, necesitas que alguien te hipnotice para recordarlo o debes aplicarle un gran esfuerzo. Cuando la mayoría de las personas descubren que un evento no es accesible o no está disponible para ellos luego de hacer un pequeño esfuerzo, por lo general se dan por vencidos y dicen que han olvidado el evento. Pero, de hecho, todavía está allí, solo que toma más tiempo y esfuerzo acceder.

En el caso de Musk, él recuerda todo porque está súper presente donde quiera que está, haga lo que haga. Su intensidad no tiene paralelo, por lo que su mente registra todo en la memoria consciente. Tanto así que parece tener una memoria fotográfica.

En las tres cosas que categorizan sus capacidades cerebrales, la parte más importante es indistinguible de la parte que normalmente categorizamos como menos relevante. Verás, sus tres partes –la atención constante, el enfoque intenso y su capacidad para no distraerse– hacen como que no puedes despertarlo de un sueño porque ninguno de sus otros sensores está conectado.

Piénsalo de esta forma; si yo estuviera dormido y tú trataras de despertarme llamándome por mi nombre, cuando yo responda a ese llamado y despierte completamente consciente, sólo pasará porque había una parte de mí escuchando el mundo exterior mientras yo dormía. Si no estuviera activada la audición, no importa lo fuerte que sea la alerta, no va a llegar a mi mente, significará que no puedo responder y, por lo tanto, no podré despertar hasta que algo interno me libere de ese sueño y me despierte por mi cuenta.

De la misma manera, la capacidad típica de una persona para perderse en un esfuerzo concentrado de una tarea suele ser de 4 a 6 minutos, para luego ser sacudidos internamente para poder ver el mundo que los rodea. Esta fue la forma en que evolucionamos para estar constantemente alerta sobre nuestro entorno. Es una característica que nos mantiene a salvo. Estamos diseñados para saltar ante la alerta, en caso de que llegue una nueva secuencia de datos. Pero en el mundo de hoy, esa nueva corriente de datos que nos aleja de lo que estamos haciendo se llama distracción, y la mejor manera de concentrarnos no funciona aplicando más energía, sino simplemente funciona al ignorar las distracciones. Algunos de nosotros tenemos la capacidad inherentemente de no considerar las distracciones, mientras que otros tienen que construirlo por la fuerza y disciplina. En el caso de Musk, vino de forma natural.

Cuando empezó a concentrarse en las cosas que lo rodeaban, las distracciones nunca lo detuvieron porque realmente no podía percibirlas, por lo que se quedaba mirando al vacío y se centraba en algo hasta que estuviera terminado. Pasaba lo mismo cuando veía algo nuevo, o cuando estaba leyendo un libro de ficción o no ficción. Cuando leía algo de ficción (que era muy a menudo), no podía dejar el libro como lo haría una persona promedio. Necesitaba llegar al final de la historia y, entre su curiosidad y capacidad para no distraerse, no había forma de sacarlo de un libro a menos de que el evento intermedio fuera muy grande o terminara la tarea. Y, debido a que su enfoque era absoluto, almacenó todo lo que había consumido en la memoria consciente, y eso le da la capacidad de recordar todo lo que ha visto. Ese es realmente el secreto de su genio. El secreto de su éxito, sin embargo, ese es otro asunto.

No termina ahí.

Elon Musk tiene poderes superiores de análisis y comprensión del tema. Cuando estaba en el Queen's College, así como cuando estuvo en la Escuela de Negocios Wharton, su capacidad para memorizar los hechos no estaba en duda, pero su capacidad para comprender la naturaleza fundamental del conocimiento en el que se centraba nunca fue entendida por sus compañeros o maestros hasta que comenzaron a ver que su creatividad y comprensión se enfocaban.

Cuando tienes la capacidad de memorizar, ¿a dónde te lleva eso? Bueno, realmente a la nada. Simplemente estás imitando las conclusiones de los demás y repitiendo las palabras de los demás. Pero cuando tomas una memoria superior y le agregas la capacidad de comprender y contextualizar, entonces lo que obtienes es dar un paso en la dirección del genio. Cuando tomas eso y le agregas la capacidad de imaginar –que, por supuesto, puede estar relacionada a la memoria–, lo que tienes a continuación son los ingredientes de un genio que es diferente a cualquiera de los otros éxitos imponentes que hemos conocido. Musk es una persona así. Él tiene una memoria, comprensión, e imaginación poderosa.

Durante sus días en la universidad, ya fuera en física o economía, el intelecto que sus compañeros de clase dicen que exponía no era uno con hechos y datos memorizados y regurgitados: cualquiera podía hacer eso. Su inteligencia llegó en dos niveles. El primer nivel fue su capacidad para comprender los conceptos en los que se estaba enfocando, en términos humanos. Eso significa que, por ejemplo, si miramos un simple estudio económico sobre oferta y demanda, él entendía ese concepto más allá de los gráficos de suministro y las curvas de demanda. Él instintivamente absorbía la información suficiente para comprender lo que significaba en **términos humanos**, viables, factibles, y exactos. El **conocimiento era real para** él y, debido a eso, fue capaz de aplicar lo que aprendió a lo que ya estaba filtrado en su cabeza.

Cuando estuvo en Penn, se inscribió a dos programas separados. Por un lado, estaba cursando física en la Escuela de Artes y Ciencias y, por otro lado, estaba cursando negocios en la Escuela de Negocios Wharton; dos facultades de la Universidad de Pensilvania. Por cierto, estos dos programas son difíciles de conseguir, ya que Penn es parte de la Ivy League y Wharton es uno de los mejores programas empresariales de licenciatura del país.

Así que, estaba agudizando sus habilidades en ambos lados de la ecuación. Por un lado, estaba buscando tecnología y, por otro lado, estaba buscando comercializar esa tecnología. Uno de los ensayos que escribió para una de sus clases fue en realidad un plan de negocios que hablaba acerca de crear un negocio que cosechara la energía solar. Sé que todos tienen grandes ilusiones sobre esta idea, pero aquí es donde Musk se distingue de los demás.

Por un lado, lo estaba viendo desde el lado de la física utópica, donde existe un mundo más limpio y eficiente que se basa en la energía limpia. Eso es genial, y la mayoría de la gente sueña con eso, pero, en el caso de Musk, la física detrás de su plan era perfecta.

Luego, por el otro lado, estaba el plan de negocios que hablaba sobre la forma de hacerlo comercialmente viable. Y eso también era perfecto, de acuerdo con los maestros que calificaron su ensayo. Lo miraron y le pidieron que defendiera la ciencia, lo cual hizo, y analizaron los principios comerciales, los cuales eran sólidos. Obviamente obtuvo una A por el ensayo, pero lo que hay que tener en cuenta es que no trataba de exponer un esfuerzo utópico. Mostraba una profundidad de pensamiento y él sabía que una cosa era cierta: sabía que para hacerlo funcionar, sin importar lo mucho que se beneficiaría la sociedad, la cuestión práctica de todo esto era que tenía que hacer dinero. Y lo hizo. Así es con todos sus negocios. Mira a Tesla y PayPal. Todos los negocios que inició, sin importar su complejidad, fueron técnicamente adecuados y económicamente viables. Ese fue su golpe ganador y sigue siéndolo hoy.

Los primeros años de Musk no se definieron por los eventos de su niñez tanto como lo hizo la gran cantidad de datos y comprensión que había acumulado en su cabeza. Su intelecto le dio el manto que necesitaba para protegerse de la intimidación en la escuela y la imaginación le dio la varita mágica para hacer desaparecer sus problemas en casa. Fue la tormenta perfecta de grandeza, pero estoy seguro de que, durante el tiempo que estuvo soportándola, parecía más insoportable que edificante.

Como has visto hasta este punto, su vida no era un lecho de rosas. Desde la división en la casa familiar, el trato que recibió en la escuela por los bravucones, y hasta su incapacidad para comprender el entorno social que lo rodeaba, no podía tener control sobre la única realidad que conocía. La golpiza que recibió en la escuela que lo puso en el hospital durante dos semanas e hizo que su rostro fuera reconocido por su padre fue el resultado de la incesante intimidación que defendía o de la que escapaba, según las circunstancias y la situación que lo rodeaba. Se puso tan mal que los bravucones se reunieron, le dieron una buena paliza, y lo patearon por las escaleras. Esta intimidación fue un problema sistémico en Sudáfrica, y el informe que dio su padre a la policía no dio frutos, ya que la policía básicamente le dijo, "los niños siempre serán niños." No se tomaron medidas y no se presentaron cargos, a pesar de que su padre presionó reiteradamente a los policías para que hicieran algo al respecto. Incluso la escuela, Bryanston High School en Pretoria, le dio la espalda. Sin embargo, años más tarde, el director actual de la escuela lamentó escuchar la miseria que había causado su indiferencia.

Este episodio ha sido contado innumerables veces en la web. La narrativa del evento ha tenido diferentes tonos de intensidad, y casi diluye su efecto y la influencia real en la vida de Musk. Pero no fue el único evento, ni el último. Recientemente reveló que tuvo que someterse a una cirugía para corregir una anomalía nasal que resultó de ese episodio en particular. Hasta la cirugía, tuvo problemas para respirar debido al obstáculo que la lesión había causado tiempo después.

Ese evento, si bien tuvo un efecto en su juventud, no fue la fuerza motriz de sus decisiones, sino que fue la representación visual de las burlas y las condiciones que sintió en sus años escolares, y eso fue el combustible que lo llevó a desarrollar mejor las fortalezas que estaban intrínsecamente dentro de él. Verás, la intimidación tiene un específico efecto psicológico en la víctima. Crea una sensación simultánea de incapacidad y miedo. En el caso de Musk, le preocupaba su seguridad a diario, y eso le hacía sentir que no tenía poder. Dos aspectos muy negativos de la vida habían causado un impacto en la vida de un niño.

La cultura nacional en Sudáfrica es muy diferente de la cultura del Oeste; Canadá, Estados Unidos, o casi toda Europa. Lo que los nacionalistas del Apartheid llaman europeo sólo involucra la apariencia física: color de piel, cabello y rasgos oculares. Pero no tiene nada que ver con los valores o la cultura europea. El apartheid de Sudáfrica que existió en el pasado veía el éxito de una manera muy diferente a la forma en que el resto del mundo lo veía, y Musk instintivamente lo entendió desde una edad muy temprana. No tenemos claro cómo lo entendió, pero debe haber provenido de un amalgama de sus lecturas y viajes y, en parte, su instinto probablemente le decía que había un mejor camino.

Me esfuerzo por distinguir el apartheid de Sudáfrica de la Sudáfrica actual porque la cultura ha evolucionado por completo. La cultura del apartheid que prevaleció durante los años de la infancia y adolescencia de Musk era una fuerza de aprensión en la vida de la gente de todo el país, y los efectos negativos eran indiscriminados, a pesar de que la política del gobierno también lo era.

Uno de estos efectos secundarios fue la forma en que se vio el éxito. Damos por sentado que el éxito en los Estados Unidos y gran parte del mundo occidental es visto como un punto de referencia uniforme. Pero el éxito es más o menos la definición de un individuo, incluso si tiene influencias nacionales y un sesgo cultural basado en las normas sociales y las conversaciones nacionales. El éxito en los Estados Unidos significa cosas diferentes y es muy diferente de lo que significa en el Tíbet. Por ejemplo, el éxito en Indonesia significa algo totalmente diferente a lo que es en Australia. A pesar de que la influencia generalizada de Hollywood casi ha nivelado el campo de juego, las definiciones de hace treinta años y las acciones correspondientes difieren.

En Sudáfrica, el éxito empresarial no era venerado, sino cuestionado. En aquel entonces, cuando alguien en Sudáfrica hacía algo grande y generaba un montón de dinero, se preguntaban, "¿por qué tiene tanto dinero?" En los Estados Unidos, la pregunta es: "¿cómo lo hiciste?"

Puede que no parezca mucho, pero parte de la cultura no apreciaba ni promovía los emprendimientos empresariales. Si el país no promueve el espíritu empresarial, entonces no va a estar orientado a proporcionar la infraestructura psicológica necesaria para desarrollar y motivar a los empresarios nacientes. Cuando eso falta, aquellos que tienen la sangre emprendedora, instintivamente buscan este elemento en otro lado. En parte, eso fue lo que expulsó a Musk de África, así como todas las otras cosas que estaban sucediendo en su vida.

Mudarse a Estados Unidos no es algo que deba tomarse a la ligera porque no todos están de acuerdo con su política o sus valores culturales. Errol Musk ciertamente no lo hizo. Cuando llegó el momento de Elon de extender sus alas, su padre no estaba interesado en llevarlo a Estados Unidos. De hecho, Errol incumplió un trato que hizo con su hijo para acompañarlo a los EE.UU., e incluso llegó a tal punto que Errol lo amenazó con cortar sus fondos si optaba por irse. En cambio, le dijeron que todas sus necesidades y gastos educativos se cubrirían si asistía a una universidad local en Sudáfrica.

La mayoría de las personas de esa edad tienen una de dos cosas a su favor: O bien, hacen que sus padres paguen la universidad o viven en un país donde se puede obtener ayuda financiera para pagar fácilmente la universidad. Pero para alguien como Musk, nada de eso estaba disponible. Cualquier cosa que quería hacer, tenía que hacerlo solo y sin ayuda de amigos o familiares. Bueno, los amigos eran casi inexistentes y, en cuanto a la familia, el único miembro de su familia que podía ayudarlo no quería que se fuera a Estados Unidos y le retuvo los fondos y, aquellos que querían ayudarlo, como su madre y sus hermanos, no tenían los fondos para hacerlo. Entonces, terminó confiando en sí mismo.

Pudo haberse rendido y tomar el camino fácil, pero no lo hizo. Y así, al tomar la decisión de enfrentar solo el mundo a temprana edad, las lecciones positivas que los duros golpes le dieron, respaldaron la fibra de su ser. Maduró con el conjunto de habilidades de alguien que se había adaptado para defenderse por sí mismo y eso lo fortaleció, envalentonó su actitud, y le dio un manto de invencibilidad.

Capítulo 5 – Llegando a Norteamérica

"Creo que es importante razonar desde los primeros principios en lugar de la analogía. La forma normal en que conducimos nuestras vidas es razonando por analogía. [Con analogía] lo hacemos porque es algo que se hizo, o es como lo hacen las personas. [Con los principios básicos] hierves las cosas hasta llegar a las verdades más fundamentales... y luego razonas desde allí."

— Elon Musk

Me gustaría poder decirte que la decisión de Musk de venir a Estados Unidos hizo que los acontecimientos posteriores fueran fáciles y que viajó por un cómodo camino, pero no puedo. Lo que Musk pasó después de tomar su decisión para salir de Sudáfrica fue uno de los eventos más difíciles de los que he oído hablar. Casi me recuerda a la película de 1992 con Cruise y Kidman, Un

Horizonte Muy Lejano, que narraba la historia una pareja de Irlanda que llegaba a Estados Unidos durante la fiebre de la tierra de Oklahoma. Por más difícil que se vea, cuando miras el viaje de Musk a los EE. UU. por Canadá, casi se siente más difícil y, si quieres apreciar lo que se necesita para hacer que los grandes sueños se cumplan, entonces esto es algo que tienes que ver, más que los eventos y las anécdotas que lees en línea o en libros. Menciono la película porque, en el caso de Musk, la realidad era más difícil que la ficción.

A pesar de lo difícil que era su relación con su padre, Musk siempre lo amó, lo admiraba y, sobre todo, lo respetaba. La cultura sudafricana de la bravuconería y el comportamiento machista no es algo académico, sino algo real de la vida cotidiana: entre amigos, entre familia y, sin duda, entre padre e hijo. Obviamente era peor entre los rivales; una de las razones por las que fue mofado e intimidado. Pero en cuanto a la relación entre padre e hijo, era un principio nacional fundamental que, para enseñar a ser macho, tienes que ser macho. Y eso definió muchas relaciones filiales. Esa es la característica redentora de toda la historia.

Había una obligación filial que Musk no estaba dispuesto a abdicar, y fue obvio a lo largo de su tiempo que estuvo en la casa de su padre. Pero para ser claros, y esto tiene que ver con su llegada a América del Norte, hubo cuatro etapas distintas entre la relación con su padre.

La primera etapa fue cuando aún era un preadolescente, y esto cubría el período anterior a la partida de su madre. El segundo fue el momento en que se mudó de la casa de su padre cuando sus padres se divorciaron. El tercero es el tiempo que pasó cuando regresó a la casa de su padre. Y el último fue cuando dejó Sudáfrica y a su padre para dirigirse hacia su nueva vida; esta última parte fue la que vio el desgaste final de su relación. Ahora, está en un momento en su vida en el que no tiene intención de presentarle sus hijos a su padre.

Esa decisión cambiará indudablemente cuando madure hasta el punto en que comprenda las acciones que su padre tomó y, si es capaz de alejarse del dolor, entonces el estado natural de su ser elegiría reconciliarse y enterrar el hacha.

Ahora sabes que fueron menos de tres razones por las que quiso venir a los Estados Unidos. Por un lado, estaba el reclutamiento militar sudafricano que deseaba evitar. El segundo era que necesitaba liberarse de una vida que había sido horrible para él y, por tales niveles de abuso psicológico y físico, asoció a toda Pretoria y, por extensión, a toda Sudáfrica como una larga y mala pesadilla, y quiso cambiar su visión. Finalmente, y este fue el impulso que necesitaba a comparación con los dos primeros empujones, fue que quería desarrollar su software y capacidad técnica de TI. Para el hombre que el mundo ahora llama el próximo Thomas Edison, en Sudáfrica, no le iba bien.

Después de asistir a Waterkloof House Preparatory School, Bryanston High School y luego de un período de ocho meses en la Universidad de Pretoria en 1988, contra las objeciones más enérgicas de su padre, abordó un avión y aterrizó en Canadá. Si crees que su vida en Sudáfrica fue difícil, con base a lo que has leído hasta ahora acerca de Musk, entonces acabas de rozar la superficie.

Lo que te pido es que consideres que Musk es empático, como mencioné anteriormente y, si consideras que su vida en Sudáfrica fue dolorosa, piensa en cómo se debe haber sentido enfrentándola de primera mano, siendo un ser empático que magnificaba su entorno y los eventos a su alrededor por un factor significativo. Decir que estaba dejando atrás el equipaje emocional sería una subestimación. Pero cualquier dolor que sintiera en ese momento no era algo que lo distrajera, y tampoco se compadeció de sí mismo.

Una de las cosas acerca de Musk que llama la atención de las personas que lo estudian, es que sus palabras y acciones, es que él es, ante todo, una de las personas más resilientes que puedes encontrar. Cuando lo veo, me viene a la mente un viejo dicho que dice: "los árboles fuertes son resultado de los fuertes vientos". Lo que quiere decir este dicho es que gran parte de lo que sufrió de niño fue responsable de hacerlo resistente y también creó un camino para que él escapara a su propia mente.

La única cosa que fue, sin lugar a dudas, la mayor contribución de su padre en toda la ecuación, aparte de la obvia crianza, fue que llevó a los niños con él a viajes dentro y fuera de África. Esto le dio a Musk la idea de que las cosas eran diferentes fuera de su patria y eso le dio la esperanza que necesitaba. Buscó la aprobación de su padre y la obtuvo cuando le preguntó si podía llevarlo a Estados Unidos, en donde haría el cambio para que pudieran emigrar de Sudáfrica. Su padre tenía la capacidad financiera y el conocimiento para hacerlo, pero cambió de opinión a la onceava hora.

No solo eso, sino que también le prohibió que se fuera y lo incentivó a quedarse diciéndole que le pagaría la universidad si se quedaba en Sudáfrica. Errol era un hombre inteligente y trabajador que no quería que su riqueza empañara el coraje de los niños Musk y, en ese transcurso, se mostró como un hombre duro y obstinado. Pero, en esencia, estaba haciendo lo que pensaba que era mejor para sus hijos.

Hubo numerosas peleas y discusiones entre el obstinado Elon y un Errol aún más obstinado. Pero, al final, la conclusión fue que Errol lo excluiría si elegía irse sin el permiso de su padre. Como su padre lo rechazó, obtuvo la ayuda de su madre. Sabía que no llegaría a los Estados Unidos, el lugar donde tenían estrictas leyes de inmigración, pero sabía que tenía que comenzar desde esa dirección. Sabía desde pequeño que su abuelo Joshua era estadounidense de nacimiento, pero como el abuelo Haldeman no se lo había contado a sus hijos y Maye había nacido en Canadá y adquirido la ciudadanía sudafricana, perdió la capacidad de buscar cualquier tipo de inmigración familiar del SIN. Pero pudo descubrir que su madre aún obtendría sus papeles canadienses y, por extensión, él podría hacer lo mismo.

Musk se dio cuenta de que era lo más cerca que iba a llegar y tuvo que hacer lo que fuera necesario, por lo que se dirigió a la Alta Comisión Canadiense en Pretoria. Conoció a los oficiales necesarios, obtuvo la documentación necesaria, la completó e hizo todo lo que tenía que hacer. Su madre solo tuvo que firmar la documentación preparada y, en unas pocas semanas, ella obtuvo sus documentos y su pasaporte, que luego tomó y comenzó con la documentación de Elon. Unas pocas semanas, obtuvo sus papeles canadienses, y, el día que se emitió el pasaporte, se subió a un avión con menos de 300 dólares en mano.

Y así comenzó la aventura de una vida, cargada de incertidumbre, dificultades, trabajos forzados, con poca o ninguna comida y, a veces, sin lugar para dormir. Podrías decir que fue una época de su vida en la que no tenía nada más que una camisa en la espalda y el bolso en los hombros, sin techo sobre su cabeza y un futuro tan incierto que lo único que tenía que mirar era el sueño de cómo podría suceder.

Pero a pesar de todo esto, se sintió libre, y sintió que estaba en camino. Ninguna de las típicas comodidades que la mayoría de las personas de 19 años anhelan estaban en su cabeza. Ninguna de las preocupaciones y la necesidad de certeza que la mayoría de los adultos ansían lo distrajeron de su situación actual. Todo lo que tenía que hacer era quedarse en Pretoria y su padre se habría ocupado de todo. El acoso se habría detenido; solo un par de años en el ejército y un título sudafricano hubieran significado que habría sido contratado casi sin dificultad y hubiera podido continuar con los negocios de su padre, si así lo hubiera elegido. Hubiera sido una vida cómoda y fácil. Pero hubiera sido un infierno para él. Le gustaba estar dónde estaba, incluso si eso significaba dormir en la estación de autobuses o viajar en un autobús, haciendo viajes interminables para poder calentarse.

Por supuesto, no planeaba hacer todo esto cuando salió de Pretoria. Tomó un vuelo a Canadá con la esperanza de encontrar a un tío que vivía allí. El sentido común de hoy te diría que te pusieras en contacto con este tío antes de partir de Pretoria, pero Musk estaba apurado y todo lo que tenía era un número de teléfono. Sin embargo, su madre le escribió a su hermano y le dijo que su sobrino estaba dirigiéndose para allá, en algún momento, después de obtener su pasaporte. Pero nunca volvieron a saber nada hasta el día en que Elon abordó Montreal. Cuando llegó allí y llamó al número, la línea estaba muerta, así que llamó a su madre desde un teléfono público. Las cartas se cruzaron cuando Musk estaba en camino y su tío respondió que se había mudado a Minnesota y que ya no estaba en Montreal. Eso significaba que Musk no tenía dónde vivir.

¿Qué hace un joven de 19 años en una ciudad extraña a la que nunca había estado, con muy poco dinero en el bolsillo y sin un plan? Bueno, Elon se dirigió al albergue juvenil más cercano y allí pasó la noche, recordando y reagrupando sus pensamientos. Descubrió que había un servicio de autobús en Canadá donde podía comprar un pase de un mes y podía tomar el autobús a través de cualquiera de sus rutas, en cualquier momento, dentro de un período de un mes. Si lo piensas, esa era la vivienda más barata que podría obtener. Te subes a un autobús sin saber a dónde va, y tienes un asiento cómodo y cálido. Podrías dormir y, cuando el autobús se detuviera, podías conseguir comida.

No mucha gente pensaría en eso. Lo que también hizo que él recorriera todo el país en busca de cualquier familiar que pudiera encontrar. Cada vez que se detenía en una ciudad y pensaba que podría tener una familia, él se comunicaba por teléfono público, sacaría el directorio (en esos días, los teléfonos públicos tenían directorios; ahora raramente encuentras teléfonos públicos con un directorio) y comenzaba a buscar todos los apellidos relacionados con su familia. Resiliencia e ingenio.

Entonces, Musk se sube al autobús y pasa unos días recorriendo el país, deteniéndose para revisar los teléfonos públicos y llamando de la nada a sus posibles parientes. Déjame preguntarte algo en este momento. ¿Estarías dispuesto a tomar el teléfono, llamar aleatoriamente a los extraños que tuvieran un apellido específico y pedirles un favor? Yo no lo haría, pero Musk no tuvo remordimiento alguno en hacerlo. Es por eso que él vale aproximadamente 20 mil millones de dólares, y contando, supongo. Él hará lo que sea necesario.

Sin embargo, él siguió intentando y, después de caminar alrededor de 2,000 millas de Montreal dentro y fuera de los autobuses, llegó a un pueblo llamado Swift Current, que estaba justo al lado de la carretera 1. Swift Current es una pequeña ciudad de 15,000 habitantes (a principios de los 90); hoy en día, la población es mayor a 16,000 y continúa siendo una ciudad sana y relajada en Saskatchewan. Justo como lo había estado haciendo, bajó del autobús, encontró la guía telefónica y la recorrió hasta que encontrar el nombre de Teulon. Había ganado el premio mayor: en verdad era su primo, Mark Teulon, y Teulon tenía una granja de granos justo afuera de Swift Current, en un pueblo llamado Waldeck, a solo 18 millas al noroeste de la ciudad.

Se dirigió hacia la granja donde vivía su primo, se presentó y pidió trabajo. Teniendo en cuenta que era familia, aunque nunca se habían conocido, le dieron un trabajo. Todavía tenía diecisiete (a unas pocas semanas de cumplir 18) y tenía ganas de hacer casi cualquier cosa.

Estaba feliz de estar fuera del autobús, dentro de un hogar donde sabía que había un cierto grado de protección y una cierta apariencia de normalidad; tenía un puesto de trabajo, una cama, un techo, y comida casera. Era un lugar donde podía pagar –a su manera– por lo básico en la vida, sin tener que preocuparse por sus menguantes reservas.

Permaneció en Waldeck durante aproximadamente un mes y medio antes de partir, pero mientras estuvo allí, hizo dos cosas. Primero, trabajó duro moviendo cosas y limpiando tiendas y graneros. Lo segundo es que causó una gran impresión en sus primos; la impresión de que este niño era diferente a cualquier otro niño. De hecho, era más brillante que la mayoría y también era muy trabajador: una rara y preciada combinación.

Capítulo 6 – Cuidando el establo y paleando el horno

"En términos del Internet, es como si la humanidad adquiriera un sistema nervioso colectivo. Antes estábamos más como un [?], una colección de células que se comunicaba por difusión. Con la llegada del Internet, fue como si de repente tuviéramos un sistema nervioso. Eso fue increíblemente impactante."

— Elon Musk

Cuando Musk estaba en Waldeck, trabajando en la granja de granos, celebró su cumpleaños número 18 con su nueva familia. Fue uno de los momentos que más recuerda con cariño, y demostró ser la línea de salida hacia la Universidad de Pensilvania, teniendo una beca y admisión en la prestigiosa Escuela de Negocios Wharton.

En este período también estuvo esperando a que el resto de su familia emigrara de Sudáfrica. Su padre ciertamente no lo hará, pero había muchas posibilidades de que su madre y sus hermanos siguieran el camino que Elon había tomado.

Era solo cuestión de tiempo antes de que tomaran la decisión e hicieran el viaje, pero por ahora, Musk estaba solo. Estaba en un lugar nuevo en un momento nuevo de su vida, y se sentía como un pez fuera del agua con las costumbres y la cultura local. Por otro lado, para aquellos que son lentos para comprender, ser arrojado hacia una nueva situación puede ser un poco difícil de manejar porque no estás acostumbrado al nuevo entorno, y eso te incapacita para responder correctamente. Sin embargo, para una persona que almacena todo en la parte consciente de su cerebro, es rápido para adaptarse y asumir los nuevos atributos de su entorno, uniendo la trama de su nuevo entorno para después sobresalir haciendo lo que se suponía que él debía hacer. Por excelencia, él es la definición de ser adaptativo.

En arqueología, existe una teoría bien conocida que describe la capacidad de supervivencia de una especie a lo largo de las líneas evolutivas. Esta es la existencia de los tres hechos dentro de la supervivencia. Esta teoría se basa en los cambios en el entorno, y por entorno me refiero a tu entorno físico y tus circunstancias. Para nosotros, los seres humanos, tenemos dos tipos de entornos que nos afectan significativamente. El primer tipo de entorno es el entorno físico al que estamos sujetos.

66

Para una persona que viva en el Polo Norte le resultará insoportable y, en algunos casos, letal, migrar y vivir en condiciones tropicales.

El otro entorno es el ambiente cultural y cerebral. Si tenemos prácticas culturales que son significativamente diferentes a las que nos rodean, se nos hace difícil prosperar porque somos una especie que vive en un consenso comunitario. Nos demos cuenta o no, vivimos por la aprobación de otros. Por supuesto, hay algunos de nosotros que vamos en contra de la naturaleza, pero los contrarios son pocos y distantes.

La conclusión es que, con el fin de promover nuestros propios objetivos y aspiraciones, tenemos que ser capaces de adaptarnos a nuestro entorno. Por mucho que Musk fuera entusiasta al dejar Pretoria, también nació y se crio allí y, por mucho que no le gustara su política o apreciara sus gestos, aún estaba marcado. El cambio en los nuevos entornos era muy real para cuando llegó, y tuvo que adaptarse para darle sentido a todo y hacer que todo funcionara a su favor.

Si quieres entender a Musk y, por casualidad, quieres aprender del camino que tomó, entonces lo que necesitas para llegar a un acuerdo es tener la capacidad de adaptación. Esa es una de las tres cosas que hacen que los animales para sobrevivir en caso de que ocurra un cambio en el medio ambiente. Porque, cuando tus entornos cambian, puedes hacer una de tres cosas: Puedes morir, ya que eres incapaz de reconocer el cambio y hacer algo por ello, puedes moverte hacia un lugar que en el que estés cómodo, o puedes adaptarte. Los dinosaurios perecieron o se adaptaron cuando cambió su entorno. Los osos polares se adaptarán y se convertirán en osos pardos cuando el hielo de los polos se aleje, o se hundirán en las aguas que desplazan el hielo. Lo que hagas depende de cómo veas esos cambios y cómo te adaptas.

Musk es un maestro de la fusión con el entorno, ya sea físico o cultural. Él utilizaba el subterfugio y camuflaje para desaparecer en la escuela cuando se escondía de los bravucones, o bien, se adaptaba a los cambios culturales y geográficos cuando llegó por primera vez a Canadá. Pero esa habilidad para mezclarse y adaptarse, y no sólo para sobrevivir, sino prosperar, es un buen aspecto que todos tenemos que tener y entender porque es una de las vigas centrales en las bases de su éxito.

Hasta Waldeck, Musk no había pasado ni un minuto cuidando graneros o maquinaria agrícola. Hasta Waldeck, no sabía cómo empuñar un azadón, un tenedor, un rastrillo o maniobrar un camión. Pero aprendió rápidamente, y lo hizo con fervor entusiasta aunque no fuera su profesión elegida. No llegó a Canadá para aprender el negocio de la agricultura y establecer una granja; no te darías cuenta de ello con tan solo verlo y preguntarle sobre su trabajo. Aún tenía la navaja afilada y era inteligente como un látigo, así que se mezcló aprendiendo a hacer lo que tenía que hacer, y lo hizo todo bien.

Algunos han analizado esta parte de su vida como una estricta ética de trabajo; significa que él haría cualquier cosa que tuviera que hacer mientras lo hubiese prometido, independientemente de cómo se sintiera acerca de la naturaleza de su trabajo. Esto lo verás cuando se mudó en Canadá y cuando vayamos desplegando su historial laboral, antes de que llegara de nuevo a la universidad. Pero lo que también podría ser, y esto es lo que piensan algunos analistas que se basan en el conocimiento personal de su impulso y sus hábitos, es que él es el tipo de persona que hace un buen trabajo y es automáticamente bueno porque puede serlo. Tiene mayor espacio en la cabeza y el hecho de que es empático le permite tener un campo mucho más amplio de apreciación hacia los hechos que se cruzan en su camino, mientras que, con la persona normal, los hechos permanecen inactivos frente a ellos, en lugar de realizarlos de la manera en que lo hace alguien empático como Musk.

Los tiempos que pasó con su primo y su familia sólo duraron seis semanas, en el cual se hizo bastante cercano a ellos y le dio la impresión a la familia de que este joven algún día haría algo por sí mismo. Pero incluso ellos, en sus sueños más locos, no sabían hasta qué punto sus logros se extenderían para influenciar a esta generación y al mundo en general. Un cosquilleo recorre mi cuerpo al pensar en lo que estaban pensando o diciendo mientras veían el lanzamiento del Falcon Heavy.

Después de los largos días de trabajo en el campo, los Teulon y Musk hicieron una tradición, donde se sentaban en la mesa después de la cena y hablaban de todo tipo de cosas, a lo que Musk tenía mucho que contribuir. Hablaron sobre el espacio, la electricidad, la contaminación, y una serie de ideas que estaban cerca del corazón de este joven. A nadie le molestaba que este muchacho fuera una granja de día y un profeta intelectual por la noche.

Lo que parecía darle credibilidad era que las cosas que aprendió y la velocidad con que las aprendió eran mucho mayores a las que la mayoría de la gente podría lograr en semanas. Esto les dio, a los que lo observaban recoger cosas de día, la confianza en lo que decía por las noches. Esa es la naturaleza humana; si puedes construir credibilidad en un lugar, se va a construir lentamente la credibilidad en otros. Así como su capacidad para desarrollar un mecanismo de pago en línea fue suficiente para darle los puntos necesarios y obtener la credibilidad detrás de su idea para realizar la exploración especial.

Musk es muy consciente de esto. Entiende muy bien que el rendimiento y la reputación en un área se presta a otros. Esa es una de las razones principales por las que ha establecido un nicho muy poderoso en su vida. Él ha diseñado su personaje de relaciones públicas para ser el de un genio, y funciona. No me malinterpreten, de hecho él es muy inteligente, tiene una memoria fotográfica y es capaz de hacer muchas cosas, pero lo que hay que saber es que no es un Einstein.

Hay una advertencia que he mencionado a lo largo de este libro y continuaré haciéndolo a medida que recorras sus páginas. Por mucho que Musk tenga mucho que enseñarnos, no es el profeta que dice ser. Es inteligente, tiene una memoria fotográfica, y trabaja duro, pero no es el Einstein o Hawking de este mundo. Las ideas que ha desarrollado no son trascendentales o innovadoras, pero sí son inspiradoras. Él no construyó una nueva nave espacial para ser lanzada al espacio, y no tomó una nueva tecnología para construir un automóvil eléctrico: tomó lo que ya estaba disponible y lo manipuló. No es como lo que hizo con PayPal: esa fue una idea original, pero luego, una vez más, esa idea también se estaba filtrando en la mente de otra compañía que finalmente era competencia directa de PayPal.

El punto que trato de plantear es que, antes de sigas y trates de ser Musk, debes saber exactamente qué y quién es y qué ha hecho para llegar a donde está. Cuando sabes la verdad, entonces sabes qué emular y qué dejar de lado.

Para aquellos que están viendo y observando, él aparece como alguien inteligente y enraizado. Aquellos que no están prestando atención, ven a un loco divagando incoherentemente de un tema a otro a la velocidad del pensamiento. Pero aquí es donde hace la diferencia. La mayoría de las personas que divagan a la velocidad del pensamiento viven en sus cabezas, al igual que Musk. Pero la diferencia entre Musk y el hombre que se queda con todas las ideas brillantes en su cabeza es que Musk sale y lo hace posible. Él convierte la inspiración y el pensamiento en una realidad tangible.

Si elige jugar con su intelecto y genio, que así sea. Pero, para nosotros, lo mejor será que emulemos su capacidad de absorción y su voluntad de hacer las cosas.

Si miras su tiempo en la granja de Teulon, o si miras su tiempo en la escuela, donde tuvo que esconderse de los bravucones, o si tienes que mirar alguna de las otras cosas que se han materializado en su vida, comenzarás a darte cuenta de que no ha jugado con la misma mano con la que fue tratado, sino más bien ha trabajado para escapar del orden establecido, creando la realidad que su mente anhelaba. Él vale cada centavo de los veinte mil millones que tiene (con base en las valoraciones del 20 de diciembre de 2017) porque nada de lo que ha hecho fue fácil.

Cuando pasó un mes, y todavía estaba con Waldeck, sus instintos comenzaron a moverse. Se sentía más fuerte y hábil con las costumbres canadienses, y todavía no había terminado su búsqueda, que, si recuerdas, era encontrar su camino hacia los Estados Unidos. Pero, por ahora, la oportunidad aún no se había presentado, por lo que sabía que tenía que seguir moviéndose y seguir trabajando. Su familia todavía no se había reunido con él, y todavía estaba solo. Ahorró lo que pudo de los salarios que recibió con los Teulon y luego comenzó su viaje hacia el oeste.

Si entiendes la geografía canadiense, te darás cuenta de que el camino de Swift Current a Vancouver es como ir de Billings, Montana a Portland, Oregón. Longitudinalmente hablando, tienen la misma ubicación y, para llegar ahí, debes hacer un viaje por carretera de 1,500 millas, yendo desde el oeste hasta la costa del Pacífico. Ese lento viaje en autobús que dura días para llegar a su destino es un grito largo a comparación del rápido jet privado que vuela estos días, que lo lleva a DC y de regreso a casa.

Hablando de jets privados, Musk recientemente recibió un Gulfstream 650 Extended Range. El avión regularmente cuesta 65 millones de dólares, además del costo de mantenimiento de la tripulación. También emite más dióxido de carbono que todos sus Teslas en conjunto. Esa es una de las interesantes contradicciones de su vida que es bastante divertida.

Cuando llegó a Vancouver, el único trabajo que pudo encontrar fue cortar troncos. Fue bueno aprender a utilizar una motosierra en el sembradío de su primo y así, con un poco de entrenamiento, fue capaz de manejar la motosierra y laborar en un nuevo lugar que le pagaba un poco más. No te equivoques al respecto; este fue un trabajo pesado. Se requiere una gran cantidad de trabajo físico intenso y la energía para seguir haciendo todas las tareas durante todo un día de trabajo. Musk no fue escuálido en su adolescencia. Pronto se ensanchó y formó en su adolescencia, y su trabajo, tallar la madera para convertirla en troncos, hizo que la parte superior de su cuerpo tuviera un gran entrenamiento.

Cuando veo el terreno compuesto por todas las personas que han logrado el éxito en su vida, me puedo percatar que hay dos factores que llevan a las personas a hacer lo que hacen. Ellos pueden ir haciéndolo de manera diferente, usando diferentes cantidades de sus fondos, pero la misma característica siempre parece aparecer cuando analizo a los hombres de logro sustancial. El primero es el miedo. El segundo es el ego. Musk tiene mucho de ambos. Si tú los tienes, no dejes que nadie te diga que son un presagio del fracaso; si se usan correctamente, son los zancos del éxito.

Eso sí, no se trata de juzgar o ridiculizar. Esta es la naturaleza humana. Cuando les decimos a nuestros hijos que les vaya bien en la escuela, ¿qué hacemos? Muchos padres inculcan instintivamente el miedo al fracaso y la consecuencia de no hacerlo bien. ¿Cómo responden los niños? Bueno, responden esforzándose más o se estresan. ¿Por qué? Porque les preocupan las consecuencias. El miedo puede ser un poderoso motivador. El miedo desbloquea la fuerza oculta que tenemos para hacer un esfuerzo adicional y exprimir el Joule extra que tenemos de energía. No solo es psicológico; es visceral y, más importante aún, es química. Si puedes colocar tu miedo en línea y extraer la energía que se deriva, entonces podrás empujar más fuerte, superar obstáculos internos y aislarte de la fatiga y la pereza.

En la trilogía de Batman, El Caballero de la Noche Asciende, hay una escena donde Bruce Wayne contempla el escape de la prisión subterránea. En este punto, ha intentado y fallado y, cuando se le pregunta sobre su miedo, su respuesta es que no le teme a nada. Parece que una respuesta heroica, pero el consejo que recibe a cambio es que, para tener la capacidad de impulsarse a sí mismo para exprimir ese nivel incremental de la energía que lo impulsará hacia donde tiene que estar, primero necesita abrazar el miedo. El miedo abre el límite que necesita para tener éxito.

Piensa en eso por un minuto. El miedo es la razón por la que luchamos o huimos. El miedo es la razón por la que presionamos por la supervivencia. El miedo es uno de los impulsores que empuja a Musk. Pero antes de que lo llames un gato asustado, te insto a que sigas leyendo y entiendas a qué nos referimos cuando hablamos del miedo de Musk.

Con base en sus palabras y hechos, y al analizar algunas de las cosas que dijo y la forma en que lo dijo, puedes detectar que hay ciertos problemas que tienen una influencia irracional en él. Por ejemplo, la mayor parte de él es extremadamente temerosa ante lo que las otras personas piensan de él, y se desvive por asegurarse de que él forme esa narrativa. Cuando Ashley Vance escribió el libro sobre él, no estaba dispuesto a darle luz verde. Pero cuando se dio cuenta de que Vance iba a escribir el libro de una manera u otra, decidió reunirse con él y ponerle la condición de que el manuscrito requería su aprobación. Cuando Vance no estuvo de acuerdo con eso, finalmente cedió, pero quería revisar el manuscrito. En ese punto, Vance tampoco se movió. Entonces, una langosta y medio filete más tarde, Musk accedió a renunciar al control del libro. Pero hoy en día, Musk y Vance ya no se hablan (después de reunirse frecuente y religiosamente para discutir sobre el libro en el transcurso del proyecto) porque una parte de la narrativa de Vance no le cayó bien a Musk. Había cedido el control de la narración y, aunque la mayoría de lo que se decía estaba dentro de su construcción, lo que estaba afuera era doloroso para él.

Su visión de sí mismo no solo trataba de ego. También lo había. Pero principalmente tenía el temor de que las personas no lo vieran como un genio. Musk necesita eso para prosperar. Esto es muy importante para él, al igual que Donald Trump necesita que todos puedan ver que es un 'genio estable' porque inventó el arte de los acuerdos. Y no se trata de una compensación excesiva. Se trata de cómo se ven a sí mismos. Se ven a sí mismos a través de los ojos de otras personas. Por lo tanto, si los otros los ven como una mente brillante, entonces ellos mismos se ven de esa manera, y verse a sí mismos de esa manera ayuda a mantener su propia visión y elevar sus niveles de confianza, las cuales les permiten salir y lograr cosas.

Estas son todas las personas que creamos, y queremos que los hechos respalden esta creación en nuestra mente. Tendemos a recorrer todo para asegurarnos de mantenerlo de tal manera que podamos derivar la fuerza y, subconscientemente, tenemos miedo a la ruptura de esa personalidad en el mundo exterior y, en gran medida, las ramificaciones de la forma en que nos vemos en el espejo.

Su visión de su propia narrativa lo alimenta para impulsarse a sí mismo y sobresalir aún más. También tiene la energía para hacerlo y la valentía de sentir que puede hacer más que nadie. Puedes ver su capacidad para impulsarse a sí mismo sin importar cuán duras sean las circunstancias. Aquí hay dos ejemplos que me vienen de inmediato a la mente cuando pensamos en Musk. El primero es el trabajo que realizó después de su trabajo de tala en Vancouver.

Después de laborar por un tiempo, decidió que necesitaba algo que pagara un poco más, así que fue a la oficina de empleo y se postuló para un trabajo.

Le pidió al empleado que le mostrara la lista que tenían y le preguntó cuál pagaba más. Él estaba de suerte. Encontró un trabajo que estaba pagando casi 20 dólares la hora y la compañía todavía tenía vacantes por cubrir.

Lo que te puedo decir es que no muchas personas tomarían este trabajo. Sé que yo no lo haría, pero Musk fue a la empresa y habló con la persona a cargo. Se le advirtió para que supiera en lo que se estaba metiendo. La compañía se mostró escéptica al contratar a Musk porque sabía que mucha gente solía postularse para el puesto, pero la mayoría se iba en poco tiempo. Era un trabajo exigente y tenía un índice de desgaste de alrededor del 90%.

El gerente llevó a Musk a la planta y lo llevó al horno; luego le preguntó si estaba seguro de querer el trabajo. Musk ni siquiera fue el menos vacilante.

Quería un trabajo mejor remunerado para poder ahorrar más y seguir con su vida.

Lo contrataron a él y a otras 29 personas. El trabajo no solo era duro, sino peligroso. Implicaba arrastrarse a través de un conducto y entrar en un pequeño espacio donde el horno estaba expulsando un líquido fundido caliente. Su trabajo consistía en sacar el eyector que se había fundido en el conducto por el que había entrado. Alguien que estaba del otro lado del conducto lo depositaba en contenedores para su posterior eliminación. A ningún hombre se le permitía estar en ese espacio por más de media hora porque el calor, entre el horno, el material eyector y el traje de materiales peligrosos que llevaban, lo hacía inhabitable. La mayoría de la gente no podía aguantar estar ahí por 20 minutos. En los primeros días, solo 3 de los 30 que fueron contratados permanecieron en el trabajo, y Musk fue uno de ellos. ¡Resiliente!

La historia en sí es una anécdota interesante. Muestra a una persona que no tiene miedo de ensuciarse, siempre que sirva a su propósito y contribuya al final del juego. El miedo del que hablamos no es un miedo a la supervivencia corporal, sino la supervivencia del ego, que es más importante.

La segunda anécdota que habla sobre sus temores, y además de compararlos con el malentendido, es el miedo que tenía cuando se había quedado sin dinero, y sus compañías estaban quemando 4 millones al mes, sin tener un final y una solución a la vista.

Este fue un período en su vida, durante su primer matrimonio, cuando todo lo que podía salir mal iba terriblemente mal. Estaba pidiendo prestado dinero de donde pudiera, y el miedo en sus ojos era fácilmente reconocible. Había perdido más peso del que tenía, incluso más que el que perdió cuando trabajaba en el horno, y parecía demacrado, con los ojos hundidos y pálido por la falta de sueño. El temor que sentía aquí era mayor de lo que pudo haber sentido en cualquier otro momento de su vida, porque lo que estaba en juego no sólo era su vida, sino su historia; y con esto no pretendo burlarme de él o de sus prioridades, simplemente estoy mostrando cómo Musk es el tipo de persona que se preocupa más por su rendimiento cerebral y lo que la gente piensa que sobre su seguridad personal, y es por esto que logra cosas la mayoría de la gente no puede. Tenemos miedo de hacer las cosas equivocadas. Tenemos miedo de perder nuestra vida, pero no tenemos miedo de perder nuestras mentes.

El tiempo que pasó deambulando por las tierras de su nuevo hogar llegó a su fin poco después de esta experiencia. Su madre y su familia, menos su padre, llegaron a Canadá y los Musk se reunieron. Musk y su hermano menor siempre fueron cercanos, y los dos se alimentaron el uno del otro y se dirigieron entre sí para tener éxito. Kimbal era el contrapunto de la conducta y la energía de Elon. Piensa que, si juntaras a Kimbal y a Elon, harías la persona perfecta. Lo que a uno le faltaba, el otro lo compensaba y juntos podían hacer cualquier cosa. Eso también era conocido por ellos. Una vez que estuvieron juntos, sintieron un aumento en sus propias energías. Era obvio para cualquier persona cercana a los hermanos. Ambos eran inteligentes, pero el mayor era más preciso, mientras que el más joven era vibrante. Ambos tenían una mentalidad empresarial; uno era práctico, y otro sobresalía en teoría.

Es fácil hacerse una idea equivocada sobre Musk cuando lees las historias y anécdotas que hay sobre él. Así que, aclaremos algo ahora mismo. Definitivamente, es una persona resiliente, pero no es el innovador que sugiere la historia. Su inspiración proviene de las veces que ha leído, y de los cómics con los que creció. Pero eso no lo hace menos exitoso, y ese es el punto que todos deben tomar en cuenta. No necesitas ser un Edison, un Einstein o un Nash y tener una idea original en la que nadie haya pensado. Incluso puedes encontrar formas de hacer cosas con elementos existentes. Simplemente debes barajear lo que está en el estante, usando productos viejos para hacer cosas nuevas.

Cuando Musk decidió que quería alcanzar las estrellas, no decidió diseñar sus propios cohetes.

En cambio, fue a Rusia, vio los viejos ICBM y luego miró los motores que ya existían en los Estados Unidos. De ellos, eligió los diseños del Apolo y luego utilizó el diseño principal para construir los motores Merlin que impulsaron el Falcon y el Falcon Heavy. No digo que haya cazado o copiado furtivamente la tecnología. Estoy diciendo que usó los artículos viejos, les hizo modificaciones y usó bastante software para ahorrarse costos. En sí, ese es un tipo especial de intelecto.

Así que, mi punto es que no todos necesitamos reinventar la rueda, pero podemos usar la misma rueda para crear algo mejor. En esencia, eso es Musk.

Capítulo 7 – La Universidad de Queen

"Es importante ver el conocimiento como una especie de árbol semántico; debes asegurarte de entender los principios fundamentales, es decir, el tronco y las grandes ramas, antes de entrar en los detalles de las hojas o no tendrán a qué aferrarse."

— Elon Musk

A medida que avanzaba el año escolar, Musk hizo planes para regresar a la escuela. Tenía dos opciones a elegir. Tenía que decidir entre la Universidad de Waterloo y la Universidad de Queen. Ambos estaban muy cerca de la frontera con los Estados Unidos y estaban ubicados a ambos lados del lago Ontario. Queen's se encuentra en Kingston, Ontario, al este del lago Ontario, mientras que Waterloo se encuentra en la orilla occidental del lago Ontario. Musk tuvo el buen sentido de visitar las escuelas antes de decidir a cuál ingresar, y estaba planeando inscribirse en el programa de ingeniería de Waterloo. En ese momento, Queen's no era su primera prioridad. Cuando visitó Waterloo, se dio cuenta de que estaba predominantemente poblado por hombres, mientras que Queen's tenía una saludable mezcla de mujeres hermosas.

Por lo tanto, no es sorpresa saber cuál eligió y por qué razón. Hace unos pocos años, en una entrevista, sus propias palabras describieron su elección cuando admitió que estaba esperando desesperadamente tener la oportunidad de estar en la mezcla dentro de un entorno rico en objetivos y, si no era así, ¿por qué más querría asistir a la universidad?

Queen's es considerada una de las mejores escuelas de Canadá, y constantemente está en el top ten del ranking nacional. Su programa de economía es uno de los mejores, y las principales compañías suelen buscar futuros empleados ahí. Pero en su mayor parte y hasta este punto, Musk era una persona técnica. De hecho, si hubiera elegido Waterloo, su mayor intención hubiera sido la física y la ingeniería. Entonces, ¿qué más da?

La decisión fue tomada principalmente porque Queen's siempre ha tenido un mejor programa de economía que un programa de ingeniería, y el factor que inclinó la balanza fue el hecho de que hubiera más mujeres en Queen's que en Waterloo. (Nota para los oficiales de admisión en Waterloo:

es posible que deseen reconsiderar sus políticas de admisión y obtener más mujeres.)

El tiempo de Musk en Queen's mejoró su vida de diferentes maneras. La primera fue que lo puso en la mezcla con una nueva cultura que aún no había experimentado. Recuerda, todo el tiempo que estuvo cerca de la tierra en Canadá, lo que significa que estaba trabajando duramente con sus manos y músculos, y que era una experiencia muy diferente al ejercicio de su mente e imaginación. Por lo tanto, la cultura de ese tiempo era muy diferente de la cultura en Queen's. Por un lado, la edad promedio en Queen's era mucho más baja que la del mundo laboral. Segundo, había una mezcla de géneros y, finalmente, fue capaz de poner sus ojos en el sexo opuesto. Y por último, podía llevar su mente de las tareas tangibles hacia las inspiraciones intangibles. Era algo que Musk siempre había querido hacer, pero la realidad aún no estaba completa.

Piensa en esto por un minuto y esto también te ayudará con tus aspiraciones. Su idea de mudarse a Estados Unidos no fue en vano. No era un intento de búsqueda de trabajo impulsado por Hollywood. Fue porque él quería alterar sus entornos para incluir a las personas que lo podían mover profundamente a un lugar que tenía un interés significativo en la *tecnología*.

En el fondo, Musk era un tecnócrata, desde el momento en que recogió cómics de ciencia ficción, y sigue haciéndolo hoy. Gran parte de sus visiones e ideas son realmente manifestaciones de los comics que vertió cuando era niño. Él ve la tecnología de manera muy diferente a la mayoría de las personas de todo el mundo y, sin duda, más de lo que sus contemporáneos en Sudáfrica lo vieron en ese momento, y lo ven de manera muy diferente a como lo hace hoy en día la mayoría de las personas. Pero eso está cambiando, ya que los *Millennials* han movido la aguja hacia la apreciación de la tecnología y cómo se usa hoy en día. Sin embargo, eso está más allá del alcance de este libro.

Volviendo a Musk y sus años de desarrollo.

Hay dos maneras en que puedes ver la universidad. Una forma es considerarla como un tesoro de recursos que conducen al desarrollo de tus propios pensamientos. Si nos fijamos en las personas como Einstein, Nash, y otras imponentes luminarias académicas, lo que encontrarás es que su tiempo en las instituciones académicas no se gasta en ir a clases y pasar penosamente las tareas y trabajos; los verdaderos exitosos rara vez asisten a clases (así como Bill Gates y Steve Jobs lo hicieron) y pasan su tiempo haciendo otras actividades, deteniéndose solo para pedir la tarea y las actividades para asegurarse de hacer lo mínimo para pasar las clases.

El compromiso de Musk con Queen's no fue diferente. Rara vez asistió a clases, pero aun así consiguió tomar las que sentía eran importantes para su desarrollo. La cualidad que comenzó a mostrar en su primer año en Queen's fue que podía comprender los temas más allá de sus descripciones académicas. Por ejemplo, tomemos sus clases de economía y su introducción a las curvas de oferta y demanda. No solo las veía como gráficos matemáticos con líneas de inclinación positiva y negativa, que al final se encontraban en un punto de equilibrio. Esto es lo que hace la mayoría de los estudiantes. Pero, Musk entendía la naturaleza humana detrás de eso y la razón por la cual la curva de demanda se inclinaba de la manera que lo hacía, yendo más abajo a medida que se movía hacia la izquierda. También entendió la tendencia aumentativa de la línea de suministro cuando se movía hacia la izquierda. No sólo veía las cosas desde una visión matemática y posiciones teóricas, sino que relacionaba el concepto básico al pensamiento y los patrones de conducta del ser humano.

Decir que superaba su economía se quedaría corto; entendió más que los principios y los interiorizó, lo que le permitió desarrollar sus propias teorías y sus propios pensamientos sobre cualquier tema. No siempre encuentras un estudiante con el mismo marco de referencia o el mismo nivel de comprensión que Musk. Incluso su hermano menor, tan inteligente como era, no podía encender la luz del Musk más grande.

Por un lado, las universidades son un gran lugar para desarrollar muchos caminos –académicos– y, por el otro, porque ponen la capacidad intelectual e inherente individual a competir con otras. Un campus es algo más que un lugar con edificios; sirve como escenario para enfrentar los pensamientos de todos. Estas competencias con asuntos cerebrales graban la verdad, mostrando por igual el desarrollo de la humanidad y la tecnología.

Musk era fácil de entender en la universidad. Todavía lo es hoy en día, pero hay una diferencia palpable en la forma en que hace nuevos conocidos. Ha llegado a experimentar la duplicidad de la amistad humana; la misma deficiencia de confianza que podría esperarse de aquellos a quienes llamas amigos. Su perspectiva sobre la amistad ha crecido y se ha alterado con el tiempo, además de su perspectiva sobre la familia. Confiaba en amigos y familia por igual hasta que su amigo lo traicionó al llevarlo hasta donde estaban los bravucones. A partir de ese momento, las cosas comenzaron a cambiar un poco. Él no confiaba en mucha gente que estuviera fuera de su propio clan.

También se sintió profundamente decepcionado por las acciones de su padre al cambiar de idea acerca de mudarse a los Estados Unidos. Sus frustraciones como un joven adolescente le mostraron una luz que iba hacia la determinación para hacerse autosuficiente y poder ser capaz de hacer por los demás lo que él quería que los demás hicieran por él.

Por ejemplo, tomemos la forma en que él se siente acerca de la escuela pública. La escuela pública, a diferencia de la universidad, tiene dos problemas principales para Musk. El primero es que la escuela pública no crea un terreno fértil para la instalación del conocimiento o el desarrollo de la mente. El segundo es que la educación primaria mezcla demasiados elementos diferentes que no siempre son buenos para el desarrollo de la mente. Mira cómo estructuró el desarrollo de sus propios hijos. En lugar de dejarlos en instituciones educativas regulares, a pesar de que eran instituciones privadas muy caras, no estaba contento con la forma en que se llevaban a cabo. Para cumplir con esa línea de pensamiento, lo que hizo fue sacarlos de la escuela y construir una nueva escuela de acuerdo con su filosofía de aprendizaje. Es muy evidente que tenía pensamientos significativos del aprendizaje primario en este marco actual de la mente, pero ese marco fue fomentado y avanzó durante su tiempo en la universidad, durante su etapa en Queen's y su tiempo en Penn.

Él no confía en el sistema para desarrollar las mentes de sus hijos, y realmente tiene un punto. Verás, Musk es el innovador por excelencia. Esto significa que él no es alguien que piense en algo alucinante y de gran alcance; digo, no es Einstein. Pero se le ocurrirá algo que esté lo suficientemente lejos y tenga sentido para la imaginación de las masas. Él toma eso y encuentra la manera de hacerlo funcionar. Esa es la construcción de su mente y, desde el momento en que fue un niño en Pretoria y con lo que se ve en las escuelas de hoy, entiende claramente que el concepto de educación en masa le roba al estudiante un pensamiento verdaderamente innovador.

La mente de un niño es como el desarrollo de un programa computacional, así es como Musk lo ve. Requiere la estructura, el marco, y las bibliotecas necesarias para conseguir que el programa funcione bien. Las escuelas proporcionan un conjunto de bibliotecas que el estudiante tiene que ser capaz de manejar, incluso después de graduarse. Y, en la opinión de Musk, las escuelas de hoy en día no están haciendo un trabajo lo suficientemente bueno para proporcionar los algoritmos correctos o las bibliotecas adecuadas para que eso suceda. Como tal, decidió crear el suyo. Él ha sido así incluso desde la universidad.

Si la clase que estaba tomando no le daba el conjunto correcto de "bibliotecas", o sea, que no le daba los recursos para comprender el tema en su totalidad, entonces simplemente se retiraba y buscaba un lugar que le diera lo que necesitaba, y generalmente lo encontraba en la biblioteca.

Tiene importantes problemas de confianza y lo mostró en la universidad. Tan romántico e inteligente como él es, lo que funcionó dentro de su mente matemáticamente precisa fue el hecho de no confiar en los seres humanos. Realmente no confía en nadie. Ni en su esposa (la primera y la segunda), ni en sus amigos y, hasta cierto punto, ni siquiera en su propia familia.

Tenía un pequeño grupo de amigos cercanos en la universidad, pero se mantuvo alejado de socializar demasiado. Parecía estar en una misión para conseguir novia, y definitivamente era el tipo de persona que buscaba un trofeo y también, un confidente.

Déjame explicarte.

Su elección de mujeres –y fíjate, él ni siquiera tenía 19 años– eran las espectadoras. Las que eran hermosas y sabían cómo comportarse. Uno pensaría que alguien como Musk, tan intelectualmente inclinado, estaría buscando a alguien que igualara su capacidad intelectual y fervor. Pero resulta que Musk no es ese tipo de persona cuando se trata de elegir mujeres y compañeras de vida. Hay algunos que dicen que ha intentado reprimir sus tendencias homosexuales, pero eso es solo una conjetura y no ha sido probada. Pero si es cierto, eso no implica que sea homosexual; simplemente implica que no se siente cómodo con la idea de que haya una posibilidad de que otros piensen que él es homosexual.

Para compensar, Musk siempre ha sido el tipo que quiere ser visto con las mujeres más hermosas y de mejor presentación. Los otros libros han narrado cómo conoció a su primera esposa, quien también era un estudiante en Queen's, y no voy a entrar demasiado en detalles, salvo para decir que él la persiguió sin descanso, y ella estaba fascinada por su romántica racha.

Pasó dos años en Kingston, y la mayor parte estuvo fuera del aula. Se presentó a los exámenes, entregó documentos y aun así venció a todos los demás de la clase. Él había hecho avances considerables en su desarrollo, pero la metamorfosis aún no estaba completa.

Cuando en Queen's, generó dinero con la construcción y venta de computadoras en su dormitorio y a sus compañeros de clase. Si necesitaban actualizar sus computadoras, lo hacía por ellos, y si necesitaban arreglarlas, también lo hacía. Su especialidad fue la construcción de consolas para sus amigos, y todos los que estaban en el campus sabían que Musk era el chico a quien acudir cuando necesitaban comprar o arreglar una computadora. Lo hizo hasta el punto de cobrar basándose en la rareza del problema. Si era un problema fácil de solucionar, el precio era bajo. Si el problema no era común, entonces se volvía caro. Si querían construir una nueva máquina para jugar, entonces cobraría por la construcción, además de buscar el precio de las partes. De esta manera, se las arregló para ahorrar lo que generó y, de esa forma, pudo tener un estilo de vida cómodo sin tener que depender de nadie. Él se mantuvo desde que llegó a Canadá, y ahora no era diferente.

A pesar de que era canadiense, Musk vivió en el piso internacional de su residencia, en Victoria Hall. Aquí fue donde conoció a Navaid Farooq. Hay dos ironías aquí: la primera es que Musk, aunque era canadiense, nunca había vivido en Canadá y, por lo tanto, tuvo el beneficio de vivir cerca de otros estudiantes internacionales. Su casi-mejor amigo Farooq también vivía en el piso internacional, pero, a diferencia de Musk, Farooq había nacido en Canadá, aunque había vivido en el extranjero durante toda su vida. Entonces, ambos hombres eran canadienses, pero no tenían idea de lo que significaba ser uno. Y eso se convirtió en el vínculo que los unía. Farooq tampoco era lacayo. Su capacidad de ser académicamente avanzado por delante de sus compañeros de clase estaba bien documentada, pero no era rival para el inmejorable Musk. La ironía se extendió hasta el punto de que los dos se emparejaron por su experiencia de vida. Uno fue canadiense toda su vida, mientras que el otro era un nuevo canadiense, y ambos no tenían idea de lo que eso significaba.

Farooq estaba en la Facultad de Artes y Ciencias, y aunque Musk no estaba con él, sí compartieron un par de clases y, siempre que era posible, Musk se apoyaba en Farooq para sus notas y tareas. Pero al final, Musk lo rebasaba en los exámenes. Musk sacaba más de 90, mientras que Farooq apenas sacaba los 90. Incluso Justine y Musk estuvieron compitiendo junto con Farooq, y hubo un momento en que Musk los venció a todos al obtener un 98 en un examen. A pesar de que los venció, no estaba contento con el puntaje, por lo que fue y habló con el profesor y debatió su punto hasta que obtuvo el centenar.

En estos días, Queen's todavía lo mira favorablemente, hasta el punto de asignarle un simpático apodo: *Rocket Man*.

Musk dejó Kingston al final de su segundo año para tomar el resto de su educación en la Universidad de Pensilvania. Fue aceptado con una beca completa en la Facultad de Artes y Ciencias para obtener un título en Física. Y también obtuvo un doble título en Economía en la Escuela de Negocios Wharton.

Solo tomó dos años y medio desde el día en que llegó a Canadá con la esperanza de conocer a su tío, y ahora se dirigía a Estados Unidos. Desde granjas de cereales hasta hornos tóxicos, desde chicas hasta libros, finalmente estaba cruzando la frontera norte y entrando a los Estados Unidos. Su viaje acababa de comenzar.

Capítulo 8 – Justine

"Podría ir y comprar una de las islas en las Bahamas y convertirla en mi feudo personal, pero estoy más interesado en intentar construir y crear una nueva compañía."

— Elon Musk

Esta parte del libro comienza con una mirada a la vida personal de Musk en lo que respecta a los amores y los intereses amorosos de su vida. No tengo la intención de difundir chismes (salaces o de otro tipo), sino que pretendo describir la parte más personal del hombre. Cuando encuentras a un hombre en su estado natural, este es un buen reflejo de la verdadera naturaleza del hombre. Cómo sigue, trata, y deja a las mujeres en su vida revela mucho acerca de cómo se ve a sí mismo y los que lo rodean.

En el mundo de hoy, es bastante fácil esculpir tus propias relaciones públicas y sentar las bases para que el público forme una opinión sobre ti que se ajuste a la forma en que te ves a ti mismo. Si eres experto en informática y tienes una visión, es bastante fácil hacerlo. Y sabemos que Musk tiene ambas en abundancia. Entonces, para realmente entenderlo, debes hacer tres cosas: Necesitas verter volúmenes de datos que se remontan a la época en que era niño. Luego, tienes que tomar esa información y filtrarla por medio de tus propios sentidos; así como lo harías en una prueba de olfato. Finalmente, tienes que equilibrar lo que dicen las personas cercanas a él con lo que dicen los que están separados de él. Sin embargo, lo más importante es que debemos encontrar un patrón entre lo pronunciado y lo realizado.

Es como descifrar un mensaje codificado. Si encuentras que el mensaje dice C, pero en realidad significa A, y un poco después dice K y en realidad significa I, entonces sabes que necesitas regresar dos letras para obtener la historia real. De la misma manera, cuando una persona dice A, pero pone E, y dice E, pero pone J, entonces tienes que tener una idea de qué hacer y cómo ajustar las palabras dentro de un pronóstico creíble.

Cómo se ve Musk a sí mismo es una función de cómo quiere que los demás lo vean, y eso a su vez es una función de la visión que tiene en su cabeza. Esa visión es altamente detallada y específica que hasta quiere determinar el color del cabello que tiene su esposa, quienquiera que sea en ese momento.

Justine fue la primera esposa de Musk, a quien conoció en Queen's y lo persiguió hasta los confines de la tierra. Era exactamente lo contrario a lo que buscaba en un hombre, y ella era exactamente (lejos de ser una rubia) lo que representa una mujer fuerte, inteligente y atractiva. Dicen que los hombres finalmente se casan con mujeres que se parecen a sus madres. Dejando de lado la psicodélica freudiana, puedes ver por qué Justine se ajusta a este aforismo. Maye Haldeman es inteligente; una mujer con dos maestrías y una nutricionista independiente. Ella también es una modelo. No puedo decir 'era' una modelo, ya que, a pesar de estar en sus sesenta, apareció recientemente en la portada de una de las revistas más reconocidas. Por lo tanto, al decir que vio en Justine todo lo que su madre era –fuerte, inteligente y atractiva–, no estaríamos exagerando. Lo que es aún más desconcertante es que también se divorció de Justine. Justo como lo hicieron sus padres.

Gran parte de la personalidad de Musk, cuando se trata de mujeres, parece estar estancada en un círculo que comienza con su madre. Maye tenía el cabello castaño claro, el cual se fue oscureciendo con el tiempo, para luego volverse más rubio. Entre más envejecía, se volvía más rubio platinado y ¡realmente le queda! Es un color que da un aspecto distinguido y elegante. Musk definitivamente define esas cualidades con la medida del cabello de su madre, ya que insiste en que las mujeres con las que está cada vez más se tiñen el cabello de un color rubio platinado. Él tiende a mostrar estos destellos de vivir en un ciclo que se define por estas acciones.

Hubo muchos paralelos entre Musk y su padre con respecto a la búsqueda y ubicación de sus compañeras de vida. El inmenso esfuerzo que Errol puso en la búsqueda de Maye fue superado por el esfuerzo que puso Musk con Justine. En sus propias palabras, Justine estaba totalmente preparada para ir detrás del chico malo. A ella le gustaban los hombres significativamente mayores por su intelecto y estabilidad, y ella acababa de tener una relación larga con un hombre mucho mayor: una especie de James Dean y William Shakespeare. Musk no es nada de eso, pero fue persistente. La única cosa que Justine ofreció, en un esfuerzo por entenderlo mejor que nadie, fue que tuvo una perspectiva frontal y central en ese momento de su vida donde floreció, yendo desde los días represivos de Pretoria hasta el ejercicio y florecimiento de su agudeza mental. Ella lo vio elevarse académicamente hasta alcanzar alturas altísimas, y ella lo vio desplomarse durante los días turbulentos de Tesla y SpaceX.

Ella llamó su atención una vez, a través de una habitación. Justine es alta y tiene el pelo largo y ondulado, o al menos así era en ese entonces. Sin duda, era el alma más atractiva de Kingston; sin duda lo era para Musk. También era una estudiante de primer año, mientras que Musk era estudiante de segundo año. La diferencia se compensó totalmente por el hecho de que ella estaba muy por delante de sus compañeros, en cuestión de talentos literarios. Ella era muy consciente de que los chicos de la universidad eran atraídos por su delgada cintura y sensual cabello largo. Tuvo más que unos pocos pretendientes potenciales que hicieron algunos avances, pero, sin dudarlo un momento, se los quitó fácilmente.

Él no tenía mucha experiencia con este tipo de cosas, y lo único que sabía hacer era caminar directamente hacia ella. Pero no lo hizo antes de obtener información sobre ella. La única cosa en la que Musk era bueno era reunir inteligencia. Obtuvo mucha información y supo por qué la mayoría de los chicos fallaba antes de siquiera hablarle; decidió que su estrategia de ataque sería jugar con la posibilidad de verse antes. Astuto, pero efectivo, o al menos eso parecía.

Miró a su alrededor y, mientras hacía un reconocimiento, descubrió cuáles eran las fiestas a las que le gustaba ir. Entonces, esperó su oportunidad y lo que hizo fue atraparla en un supuesto encuentro fortuito mientras ella bajaba las escaleras; él se acercó a ella, le recordó cómo se habían conocido en una fiesta y le preguntó si lo recordaba. Por supuesto, ella no lo recordaba porque nunca se habían conocido. Y ella se lo dijo, pero él insistió e intentó recordarle una conversación que nunca tuvieron. Y ella todavía no recordaba, pero pensó que era una forma original de conocerla. Como dije, él no era su tipo. Ella estaba buscando un hombre con cuero veteado, auténtico y viejo; él era de madera recién aserrada, verde y de corte recto. Pero lo que llamó su atención fue su acento. No era algo de por ahí, y esa chispa en su voz le dio el misterio necesario y la intriga para mantener el encuentro.

Todo esto con Justine estuvo caliente y frío durante años, incluso después de que se mudara a Filadelfia. Se comunicaron, pero nunca surgió nada serio; siempre pendía de un hilo. El interés nunca murió realmente, pero nunca llegó a niveles críticos.

Algunas de las ideas más profundas que obtenemos de Musk provienen de Justine, quien finalmente se casó con Musk y juntos tuvieron cinco hijos: unos gemelos y unos trillizos. Pero esto no pasó hasta casi después de una década de este impredecible cortejo.

Dejando esto de lado, Justine recuerda constantemente, hasta el día de hoy, la forma en que la trató y cómo él estaba tan interesado en su inteligencia, así como en su físico. Al principio, fue persistente, pero no la asfixió. Había un péndulo oscilante en esa persecución. A medida que aumentaba el encanto, también le daba espacio para respirar y crecer. Las chicas en la universidad no buscan casarse, y tampoco ella estaba en ese punto; había muchas cosas que necesitaba lograr, pero él la vio de diferentes maneras. No había duda de que ella era su conquista, era algo que quería ganar. Era algo que quería tener, y por ese 'algo' no me refiero a Justine, sino más bien la relación y la conquista.

Aquellos que lo conocen de cerca, parecen creer que Musk tiene la capacidad de leer mentes, o al menos ha mostrado numerosos ejemplos de percepción extrasensorial. Esto no es raro para las personas que tienen una alta actividad empática e inteligencia. En una muestra de esta capacidad, Justine habla sobre la vez en que Musk la llamó en un momento en su vida en el que había decidido que, si Musk trataba de seguirla de nuevo, ella cedería. A los pocos días de esa decisión, Musk la llamó y, a partir de ese momento, los dos se convirtieron oficialmente en una pareja.

Desde el momento en que la buscó en Queen's, la amistad se había encendido y apagado. Ella tenía otras intenciones, y aunque estaba intrigada por él, no fue lo suficiente como para despertar realmente la química que ella veía como el requisito previo para tener una relación.

Y esto pasó por años. Comenzó en el segundo año de Musk cuando estaba asistiendo a Queen's, continuó hasta dejar Penn e incluso después de trasladarse a California. En todo este tiempo, no hubo relación sino amistad. Hablaban a menudo, e incluso salían con otras personas. No sólo Justine estaba interesada en otros hombres cuando terminó sus estudios de periodismo en Queen's, sino que también Musk estaba saliendo con varias mujeres mientras estaba en Queen's, durante su segundo año y en Penn, y también estuvo saliendo con otras mujeres cuando mudó hacia el oeste.

Aunque, al principio estaban separados por unos cientos de millas cuando él estaba en Filadelfia, continuamente le enviaba rosas. Ese gesto lo mantuvo vivo en su memoria, así que, incluso si no estaba a la vista, no le iba a permitir que su presencia fuera olvidada.

Pero hasta que se casaron, o al menos hasta que comenzaron a estar en sintonía acerca de pasar la vida juntos, en numerosas ocasiones, ella estaba como un péndulo, yendo desde el amor hasta la conquista y viceversa. Para ella, la relación fue diferente. Cada vez más, sentía una acumulación. Lenta como la construcción de un incendio en un castillo. Le tomó casi una década antes de llegar al punto en que Musk se convirtiera en su alma gemela. A él tomó un vistazo decidir que debería y podría ser un buen trofeo.

Lo único claro en las acciones que tomó Musk desde el momento en que se conocieron y salieron, el tiempo que permanecieron como amigos, el momento en que se comprometieron y se casaron, y el tiempo después del divorcio fue que sus intenciones siempre fueron claras: quería que alguien encajara en el rol que él había estructurado en su mente. Justine resultó ser la que se acercó, tomó lo que pudo y luego trató de alterar cosméticamente el resto.

Por ejemplo, lo del cabello y el color de cabello. Él quería que se pintara el cabello rubio, pero ella no era rubia sino una bonita morena. Ella estaba obligada; esta fue la primera fase de la objetificación de Justine. A medida que pasaban los años, su deseo de que fuera más rubia se hizo más frecuente. Fue obligada a hacerse cada tinte adicional. Cómo se veía, qué llevaba, e incluso lo que decía estaba sujeto a la coreografía de Musk.

Después de graduarse de Queen's, Justine se fue a Japón, mientras que Musk concluyó su segunda licenciatura en Penn y luego pasó algún tiempo de reflexión con su hermano Kimbal. Originalmente, había sido aceptado en el programa de doctorado de Stanford; llegó, asistió por unos días y decidió que no era donde quería estar. Él y su hermano menor comenzaron a juntar sus cabezas en un proyecto que podía hacer que ganaran dinero con lo que sabían hacer. En todo este tiempo, Justine y Musk continuaron comunicándose, pero las flores se detuvieron mientras estaba en el este.

Justine había pensado constantemente en Musk durante su tiempo libre, pero no había llegado del todo al lugar en el que necesitaba estar. Como ves, Justine fue y hasta hoy sigue siendo una romántica y siempre ha necesitado sentir a su hombre, pero todavía no había llegado.

Cuando ella regresó, Musk estaba acelerando sus esfuerzos. En su mente, el éxito fue un hecho consumado; en la mente de ella, el futuro era incierto. Sin saber qué hacer a continuación, ella comenzó a ser bartender. De vuelta en Canadá, comenzó a pensar en Musk aún más, y llegó a la conclusión de que había perdido su oportunidad de estar feliz. Ciertamente, la ausencia hace que el corazón se vuelva más cariñoso. Sus instintos sobre Musk y la noción de que él no era lo que ella quería se desvaneció, y lo que quedaba era su soledad y anhelo por la atención, y él sabía cómo repartirla en abundancia. Fue entonces cuando llamó de la nada, y ella se mantuvo fiel a su palabra. Ellos se juntaron.

Para cuando ella llegó a California, Musk vivía en un loft con un par de personas y se estaba ocupando de Zip2. Zip2 era el directorio en línea que creó junto con su hermano menor. Cuando dejó Stanford, se fue directo a Canadá y estuvo con su hermano mientras ambos pensaban en una idea para seguir adelante, y esto resultó en Zip2. Recuerda que esto pasó a principios de los 90 y cualquier cosa que hayas desarrollado que pudiera residir en línea y proporcionar un servicio, probablemente generaría un poco de dinero.

Entonces, cuando Justine llegó a California, Musk se estaba conectando con Zip2 y trataba de hacerlo funcionar. Le tomó tiempo, pero ella lo observó en su nuevo punto; desde lejos, lo veía como el niño que incesantemente la persiguió contra sus respetuosos deseos de hacer lo contrario.

Se reencontraron debido a una serie de viajes que Justine hizo, iba y venía entre Canadá y San Francisco. La conversación no se trivializó y hablaron directamente sobre matrimonio y niños. Ambos querían y entregaron dos años para hacerlo. Cuando esto sucedió, Zip2 se volvió un éxito y, durante la noche, Musk pasó de ser un empresario novato a un multimillonario. Fue un choque cultural en donde Justine no tenía idea de qué hacer. Pronto, el loft rentado se convirtió en un departamento comprado, y el escaso transporte que utilizaban se convirtió en un McLaren.

Luego se dirigió hacia su próxima empresa, y X.com nació. Fue el precursor de PayPal, y aquí fue donde las cosas comenzaron a ponerse un poco extrañas. Aparte del McLaren, el condominio, y un par de pequeñas cosas, la mayor parte del dinero que obtuvo de la venta de Zip2 se reinvirtió en X.com. En noviembre de 1999, justo dos meses antes de la boda, Musk había creado una representación legal para armar un acuerdo que parecía, se leía y sonaba como un acuerdo prenupcial, pero no lo era. No era un acuerdo prenupcial porque Musk dijo que no lo era. Tan incómoda como Justine estaba al enterarse de que la cita ya estaba programada y solo tenía que aparecer, ella se negó a creer que era algo que Musk fuera capaz de hacer y eso significaba que su corazón no estaba tan lejos del espectro de 'alma gemela'. Ella lo dejó pasar y aceptó firmar en la línea punteada.

Solo para que quede claro, no hubo discusión previa y no hubo otro abogado presente. No hubo ningún aviso o explicación, solo una garantía de que no era un acuerdo prenupcial y que no tenía nada de qué preocuparse.

Al parecer le dijo que no era su idea, sino que era un requisito del consejo de PayPal. Eso aún tenía menos sentido para ella, pero no tenía la menor intención de no confiar en él o no tomarle la palabra. Por supuesto, cuando ella lo recuerda, siente que nada de eso fue genuino. Si fue o no, no nos corresponde a nosotros determinar o juzgar. Pero específicamente lo incluyo aquí para mostrarte los límites a los que una persona consumada debe llegar para lograr lo que tiene que lograr. Y por esto, no me refiero a que él necesita estar de acuerdo con un acuerdo prenupcial (una rosa con otro nombre huele igual de dulce) sino más bien que él lo vio como una parte integral de hacer lo que tenía que hacer.

Una vez que firmaron el documento y la boda continuó como estaba programada (dos meses después), se casaron después de un par de años de estar comprometidos y casi una década después de ser amigos. Se podría decir que ella conocía a Musk realmente bien, pero, al mismo tiempo, estaba presenciando la metamorfosis del hombre que ahora conocemos como el Rocket Man.

Cuando X.com se transformó en PayPal y Musk estaba avanzando rápidamente, el estilo de vida que ya era significativamente diferente de los primeros días en San Francisco, dio un nuevo salto. Con ese salto vino la dirección y la coreografía de cómo Justine debía comportarse. Fue en esta época que nació Alexander y, probablemente, este fue uno de los momentos más tristes en toda la existencia de Musk.

Puede que no esté allí para sus novias o su esposa, pero él adora a sus hijos y, cuando Nevada Alexander nació, Musk estaba eufórico y tenía un marco muy específico sobre cómo quería criar a su hijo. No tenía tiempo, así que se lo pasó a Justine, pero estaba obligado y decidido a apresurar las cosas cuando se trataba de criar a su descendencia.

La relación comenzó a mostrar signos de tensión, los cuales estuvieron ahí todo el tiempo, pero fueron enmascarados por el estilo de vida y las excusas de una carrera trepidante. Justine tuvo que relajar la escritura, a la cual le había ido bien y había sido publicada. Musk estaba tan enfocado en sus logros como para notar que ella tenía sed de lograr sus propios objetivos en el mundo literario; un mundo que él había proclamado entender en la palabra, pero no en los hechos.

Cuando Nevada se fue a dormir un día en su décima semana, dejó de respirar y, para cuando los paramédicos fueron alertados y se presentaron, no pudieron resucitarlo a tiempo para prevenir el daño cerebral y una serie de complicaciones. Los Musk decidieron desconectarlo después de un par de días de soporte vital, y Justine sostuvo al bebé Nevada en sus brazos mientras se escabullía pacíficamente.

Eso fue traumático para ambos en muchos aspectos, pero también fue la cuña que rompió la piedra. Ese evento mostró la forma en que los Musk manejaban su dolor. Justine necesitaba alguien con quien hablar desde que estaba equilibrando su condición de posparto y la pérdida de su primer hijo. Pero Musk se entristeció de una manera diferente. Eligió no hablar sobre eso, nada de eso. Y desde entonces, nunca lo hicieron.

Cualquier intento de Justine de encontrar el indulto se encontró con la ira de Musk, que sin duda fue la consecuencia de su dolor.

La solución, él decidió, era volver a embarazarse sin demora para poder desviar su atención hacia el embarazo y, después, hacia los niños que surgieran. En lugar de dejar esto al azar, Musk insistió en coreografiar esta fase de su vida y lo hicieron intentándolo por medio de la FIV para que el embarazo pudiera estar mejor sincronizado y predicho. Su primer intento resultó en gemelos: dos niños.

Antes de la boda, cuando la pareja estaba en su fase feliz de cortejo, el tema de los niños había revelado que ambos eran la clase de personas que amaba a los niños y quería tener al menos dos o cuatro niños. La diferencia se basaba en si debían tener una niñera para ayudar con las tareas domésticas. Ella no tenía idea de la vida que Musk había diseñado para él, de la misma manera que un general del ejército le entrega su uniforme la noche antes de presentarse para el servicio. En su mente, por supuesto, iban a haber niñeras y ayudantes en casa.

Después de la boda, tenían cinco ayudantes alrededor de la casa, por lo que los gemelos todavía se quedaban cortos. Volvieron a recurrir a la FIV y esta vez fueron bendecidos con trillizos.

La carrera de Justine como escritora se detuvo, y eso era de esperarse. Los padres a menudo sacrifican sus sueños por mantener a sus hijos, no solo por la provisión de dinero y recursos, sino también por la provisión de tiempo y amor. Justine se acercó admirablemente y los días de Nevada estaban atrás y se desvanecían rápidamente.

Pero también había algo más en el espejo retrovisor y era algo que no se estaba desvaneciendo, sino que en realidad, corría hacia Justine. Conforme pasó el tiempo, y X.com se convirtió en PayPal, y PayPal fue comprada por eBay, la riqueza de Musk saltó repentinamente desde los días posteriores a Zip2, y ahora había bastante dinero involucrado. eBay compró PayPal por una oferta valorada en 1.5 mil millones de dólares. La parte que le tocó a Musk fue de 165 millones de dólares. La transacción de PayPal cerró la semana en que Nevada se fue a dormir y no despertó.

La riqueza repentina colocó una gran disparidad en el matrimonio. En términos de dólares, Justine no había contribuido en nada. Musk había contribuido todo. Sin embargo, en el cálculo de las mentes del hombre moderno, la contribución que hacen las mujeres al cuidar a la familia no se compara con lo que el hombre trae a la casa. Esa es una desafortunada realidad de la dinámica actual. No debería ser, pero lo es. Y esto se desarrolló hasta llegar a niveles tan obvios en la casa de Beverly Hills de Musk. No estaba sólo en su cabeza, de hecho, él le dijo que él era el alfa en la relación.

Manejó la muerte de Nevada y la venta de PayPal lanzándose a la siguiente gran cosa. Él no podía entender por qué Justine quería hablar sobre el pasado y Justine no podía entender por qué quería silenciarlo. Ninguno de los dos se entendía, pero ambos tenían razones válidas para hacer lo que estaban haciendo y saber cómo se sentían.

La batalla entre los dos continuó hirviendo a fuego lento y ardiendo en el fondo, fuera del escenario principal que estaba meticulosamente coreografiado. Ellos seguirían asistiendo a las funciones, serían vistos en público, y se moverían con los círculos indicados. Tesla y Space X se habían puesto en marcha y, aunque al principio las cosas marcharon bien, las compañías comenzaron a tener problemas y fue entonces cuando las cosas empeoraron en casa.

Musk se estaba sintiendo apretado con el dinero en efectivo que ya no tenía, cayendo en la deuda para pagar la nómina, y estaba perdiendo el sueño y la cordura. Justine ahora había visto al hombre con quien se casó. Solo hay una historia más triste que el hombre que no tiene nada; es el hombre que tiene éxito en todos los sentidos, y luego lo pierde todo. De repente, su alfa fue absorbido y no pudo mantenerlo unido, y tampoco podía hacerlo Justine.

Comenzaron a ver a un terapeuta y, después de dos meses y medio, finalmente él no pudo soportarlo y, de manera tan exigente, trataron de establecer un plazo para realizar la revitalización del matrimonio. Su fecha límite era que, si no podían llegar al final del día, se divorciarían por la mañana. Al día siguiente, sus abogados prepararon el papeleo y se lo presentó junto con una referencia que decía acuerdo prenupcial 'no prenupcial'.

Capítulo 9 – La vida como un hombre

"Es bastante difícil llegar a otro sistema solar. Alpha Centauri está a cuatro años luz de distancia, así que si vas a 10 por ciento de la velocidad de la luz, te va a llevar 40 años, y eso es asumiendo que puedas alcanzar instantáneamente esa velocidad, el cual no será el caso. Tienes que acelerar. Tienes que llegar hasta el 20 o 30 por ciento y luego debes reducir la velocidad, suponiendo que quieras permanecer en Alpha Centauri y no pasarte de largo. Es muy difícil. Con la esperanza de vida actual, necesitas naves generacionales. Necesitas unidades de antimateria porque tienen mayor eficiencia de masa. Es factible, pero es súper lento."

— Elon Musk

Es fácil encontrar las fallas en las decisiones de un hombre. Incluso es fácil burlarse, ridiculizar, y prevalecer arrogante sobre la moralidad falsa del hombre y las decisiones que toma. Por mucho que un hombre esté sobre las decisiones que toma, esas decisiones no se forman en el vacío debido a una mágica cadena de carácter. Todo está formado por la forma en que él avanza a través de sus experiencias de vida. Mi propósito al ver las profundidades de la vida y las experiencias de

Musk es aprender. No solo por las cosas que hizo bien, sino para aprender de los errores que cometió y que no vio suceder. Él no es perfecto, y no espero que lo sea.

En el lapso de once años, Musk pasó de ser un estudiante de bachillerato, a llegar a un nuevo país, hacer trabajos extraños, inscribirse en la escuela, transferirse hacia una nueva escuela en un nuevo país, y sobresalir en las áreas que le gustaban y acelerar sus logros entregables. Después de 11 años de su salida de Sudáfrica y dentro de los ocho años posteriores a su llegada a Estados Unidos, hizo su primer millón (en realidad, veinte millones). ¿Qué dice eso sobre el arte del logro? ¿Qué dice eso sobre el camino que uno debe recorrer para tener éxito?

Se ha informado ampliamente que Musk no tiene interés en llevar a sus hijos de regreso a Pretoria y hacer que conozcan a su padre. Ese es un problema importante para cualquier persona y no es uno que haya que descartar para entender al hombre que ha sido aclamado como el Edison de esta generación.

La gente hace ciertas cosas porque les da placer, ya sea en el acto mismo o en la ejecución del hábito que lo abarca. Las personas generalmente se mantienen alejadas de las cosas porque saben, a nivel cerebral, que las consecuencias del acto no serán aceptables al abstenerse de hacer actos debido a una respuesta visceral al dolor que el acto causa con tan solo pensar en ello.

Yo tengo una aversión al alcohol, no porque tenga algún tipo de guía moral, sino porque en algún momento los efectos secundarios de una bebida, por pequeños que sean, se volvieron intolerablemente desagradables para mí. Resulta que mi complexión no podía manejarlo, mi cuerpo rápidamente lo rechazó y, en el proceso de hacerlo, me hizo sentir horrible. Después de tener experiencias repetidas a los posteriores efectos, mi respuesta ante cualquier cosa que tuviera alcohol fue dictada inconscientemente por lo desagradable. No lo pensé conscientemente; solo reaccioné haciendo muecas. Mi respuesta no fue calculada; era automática, visceral y visible. Lo que no era visible era el recuerdo del dolor que causó la respuesta. Todas nuestras acciones se pueden medir en marcos similares. Hacemos todo basándonos en una razón cuantificable, incluso si no sabemos realmente qué es o cómo sucedió.

El punto es que a veces reaccionamos ante las cosas debido a la desagradable acumulación a la que estamos sometidos. Es lo mismo con Musk. El abuso (psicológico) fue simplemente insoportable hasta el punto en que, cuando explotó el fusible, no hubo vuelta atrás. Pero ese tipo de cosas no sirve para juzgar. El abuso fue físico en la escuela y psicológico en el hogar. Y eso fue solo el comienzo; luego estaba el abuso emocional que era una función del divorcio. Siendo el hijo mayor de la familia, siempre hay un sentimiento de culpa que ellos mismos se imponen. De cualquier forma en que lo veas, la carga que Musk llevó en su juventud fue tremenda, y se relacionaba con el hombre en el que se convirtió.

Afortunadamente, para nosotros, podemos aprender de eso. La clave es entender quiénes somos y cómo mantenerlo unido. El pensamiento de que Musk está tratando de mantenerlo unido se puede ver en muchas de las cosas que dice y hace. Al final de una conversación con uno de sus biógrafos, Musk le pregunta que si suena loco. Y esa no fue la única ocasión; sucedía con frecuencia. Existe una sensación de inseguridad que provoca las picaduras del estado emocional de Musk.

Después de un par de semanas del divorcio de Justine, Musk estaba de vuelta en el rodeo, teniendo citas.

Musk tiene una visión en su cabeza, y ese es el objetivo de este capítulo y de los otros capítulos que cubren su vida personal con los socios. Tiene una visión de que está en una carrera para perfeccionarse y hacerse real. Él ve en su cabeza que tiene que tener una familia, un número de niños, un coche deportivo, un cierto calibre de amigos, un tipo específico de avión, y ciertos tipos de nombres para sí mismo. Él tiene todo esto en su cabeza, y la forma en que funciona es que simplemente comienza a disparar de alguna forma que normalmente no es conocida por las personas normales. Puede hacer que parezca frío y calculador, pero realmente no lo es. Justine era más que otra pieza de ese rompecabezas que tenía de montar y, cuando se cayó, puso un calendario mental que necesitaba para llenar ese vacío en el cuadro general. No fue una inversión emocional que la mayoría de nosotros haríamos; fue un pinchazo que la mayoría de nosotros no podemos ver.

¿Esto es bueno o malo? Ninguno de los dos. Solo es la forma en que hace las cosas. Pero hay una lección que aprender. Cuando persigues el éxito, no hay una fantasía emocional y visceral; solo existe la inspiración para hacerlo y la marcha para lograrlo. Es la manera más segura de llegar hacia dónde vas.

Piensa en marchar desde Nueva York a Los Ángeles. Si tuvieras que contemplar tal hazaña, todo lo que tendrías que hacer sería planificar el viaje y seguir meticulosamente el plan, sin darte por vencido en caso de que sucediera algo externo a tu plan. Pasarías el menor tiempo posible corrigiendo tu camino en caso de tomar una desviación y luego volverías hacia él. Sacarías las obstrucciones del camino hasta llegar a dónde vas.

La mayoría de la gente no puede hacer eso. Se distraen y se ciegan. Algo más sucede que les da un nuevo objetivo que perseguir. Suceden todo tipo de cosas y, al final, te das cuenta de que estás a punto de retirarte y ninguno, absolutamente ninguno de tus sueños se ha materializado. Las personas como Musk no tienen ese problema. Ellos calculan fríamente hacia dónde van y marchan hasta realizarlo, sin descanso. A veces las personas a su alrededor se lastiman, pero eso, en la mente de las personas como Musk, es un daño colateral aceptable.

La vida como hombre ya es bastante difícil. Y esa declaración no se trata de la igualdad de género, sino de los recursos que nos dan y la forma en que nos planteamos las expectativas. Somos como el vino; así nos criamos: el suelo está debajo de nosotros, la humedad nos rodea, el sol está sobre nosotros. Todo determina el sabor único con el que comenzamos a madurar. Si cambiamos ese suelo, alteramos la humedad o sombreamos las parras de la luz, treinta años después, el sabor del vino sabe muy diferente.

Los acontecimientos que se desarrollaron en el transcurso de la vida de Musk pueden no ser palpables para algunos, o pueden no parecer importantes para los demás, pero de cualquier forma, no debe ser juzgado. Musk no es el Edison Tecnológico de nuestro tiempo ni es un monstruo disfrazado. Él es quien es y, sus acciones, errores y logros tienen mucho que enseñarnos. Y ese es el punto de una biografía.

Hay dos cosas que personalmente he aprendido de la historia de vida de Musk, ya que pasé la mayor parte de un año investigando las historias y comprendiendo los antecedentes. La primera es que el sueño y la inspiración, ya sea que provengan dentro de nosotros o desde las páginas de un cómic, con el tiempo pueden convertirse en realidad, si nos enfocamos en ellos. Musk y yo compartimos la misma generación; compartimos los mismos cómics, los mismos dibujos animados, y la misma ciencia ficción. También compartimos la misma imaginación colectiva donde los dibujos animados como Flash Gordon, el Cosmos de Carl Sagan, el lanzamiento del Apolo, los Jetsons, Fuga en el Siglo XXIII y todos esos programas de televisión, libros e historias nos inundaron con ideas sobre lo que podría ser el futuro. Ya sea que nos guste o no, eso se empapó en nuestras raíces, y nos alimenta, e ilumina nuestra mente. Musk creó para encarnar esa inspiración y puedes verlo en los proyectos que toma; el viaje espacial, el transporte en un tubo de vacío, los vehículos eléctricos con auto-conducción, las computadoras controladas con el cerebro. Todos los proyectos que ha emprendido son extrañamente familiares para aquellos de nosotros que compartimos el espacio generacional de Musk. Eso es lo que vimos en la televisión. Él solo se puso en el camino para hacerlo realidad.

Sin embargo, cuando se trataba de relaciones, había algunos elementos en juego. Su mujer perfecta tenía que a la imagen de su madre perfecta. Ella fue una gran influencia en su vida y también una fuente de culpa cuando tuvo que mudarse a la casa de su padre porque quería la mano guía de un hombre. Las tendencias chovinistas sudafricanas no se perdieron en el joven Musk, y aún no se han perdido. Justine piensa que el alfa en él, el cual le recordaba muy a menudo, era porque él ganaba más que ella, pero la verdad es que no se trataba de eso por completo, sino del hecho de que la raza sudafricana machista estaba profundamente enraizada en él.

Lo segundo fue que Musk creció en un mundo aislado. Si su padre le estaba dando lecciones en términos que eran duros para él, o si se estaba escondiendo de ser golpeado en la escuela, o el hecho de que apenas tenía amigos del sexo opuesto en el bachillerato, todo eso lo llevó a retraerse en su propia mente. Compuesto por el hecho de que tenía un marco mental único en cual podía enfocarse profundamente en casi cualquier cosa, fue capaz de liberarse del mundo que lo rodeaba. Lo hizo un genio, pero también le dio una vida muy solitaria. Esa sensación de estar solo le resultaba desagradable e inquietante, por lo que la colocó en una lista que debía remediar cuando se desenredó de las cadenas de sus años de formación. No puede soportar estar solo y, ahora que tiene los medios, se da cuenta de que estar solo no es una opción.

Esa es una admisión poderosa de un hombre que parece ser capaz de lograr cualquier cosa, y es algo que nosotros necesitamos admitir cuando sentimos la necesidad. A la mayoría de los hombres, y en gran medida a las mujeres, no les gusta la idea de estar solos, pero nunca nos damos cuenta o no lo reconocemos. La idea de estar solo es un pensamiento aterrador, y es algo que nos impulsa a hacer un montón de cosas buenas, pero también es algo que nos conduce a hacer un montón de cosas locas.

No querer estar solo, tener miedo a dormir solo en la noche o no escuchar que la respiración de otra persona suena a tu lado es algo que tiene sentido absoluto para un hombre, y Musk estaba rápidamente en los brazos de otra persona tan pronto como Justine se había marchado.

Salir con Tallulah Riley sucedió y pasó rápido, y parecía que era Musk no tenía corazón. No es eso, y no es que no amara o no tuviera sentimientos reales por Justine. Es más porque nunca quiso estar solo. Incluso, cuando se separó de Riley, saltó a los brazos de otra persona y simplemente siguió buscando a la pareja perfecta.

No es que sea una mala persona, sino que es impulsado por el miedo y se nota en muchas de las cosas que dice y hace. Todos somos iguales, pero podemos aprender a ser más fuertes aprendiendo de las personas sobre las que leemos. Pero el hecho de que Musk tenga ciertas debilidades no significa que las lecciones que él nos puede enseñar para lograr cosas increíbles deban descartarse.

Musk es un hombre con tremendo talento y ética de trabajo. Él no toma sus regalos por sentado, y no los desperdicia. Puede ser alguien que carece de ideas originales, pero él es un hombre que toma ideas que ya están hechas y las hace funcionar.

Capítulo 10 – El futuro según Musk

"No, nunca me rindo. Tendría que estar muerto o completamente incapacitado."

— Elon Musk

Hemos pasado gran parte del libro mirando la sombra de la mente del hombre para poder tener una idea de la parte de su ser real. Esa es la mejor manera de entender a una persona y sus motivaciones. Todo lo que hacemos tiene una onda que se extiende a lo legos y, si no podemos ver lo que pasa debajo del agua, ciertamente podemos observar el tsunami que se crea en la superficie.

Eso es lo que esta biografía ha estado haciendo repetidamente.

Al ver sus palabras y hechos, nos da una forma creíble de unir sus motivaciones y la proyección de sus pensamientos.

Si hay algo con lo que no puedes estar en desacuerdo, es que Musk tiene una imaginación vívida. Incluso si fue impulsado por todos los cómics que leía y la televisión que observaba. No te burles, porque algunas de las mejores ideas e inventos vinieron de escritores de ficción como Isaac Asimov. Como una sociedad integrada que se acerca cada vez más entre sí con la prevalencia de la tecnología, Musk se encuentra en la yuxtaposición de dos mundos. Un mundo donde su imaginación fue agitada por los más grandes soñadores de nuestro tiempo, cuando éramos niños, y él lo lleva y lo convierte en nuestra realidad. Por mi parte, estoy agradecido de que todas las cosas que vi cuando era niño en la televisión se están haciendo en realidad en mi generación. Y tenemos que agradecerle a Musk por eso.

El otro lado de la ecuación es que la propia imaginación de Musk dispone a desplegar la imaginación de la generación que está sentada frente al televisor (o iPhone), viendo el lanzamiento del Falcon Heavy y, así como esos cohetes se encienden, también lo hacen las mentes de millones de niños de todo el mundo. Felicitaciones a alguien como Musk por hacer eso posible. No podríamos ser capaces de hacerlo si no hubiera habido alguien como Musk que hubiese podido tomar lo que había sucedido en su vida para ponerlo en movimiento. Necesitábamos a alguien que no se distrajera con las distracciones cotidianas que se cruzan en nuestro camino cada hora, minuto y, a veces, cada segundo.

Comenzó joven y, a la edad de 12 años, escribió y vendió su primer juego por computadora por 500 dólares. No voy a tratar de poner esto en perspectiva, pero, sólo lo haré para decir que, si quitas el quantum de la recompensa y el hecho de que él tenía doce años, lo que queda es el hecho de que Musk ya estaba en este juego cuando las computadoras recién acababan de empezar a convertirse en algo tradicional. Era 1984 y no todo el mundo sabía lo que las computadoras tenían o cómo usarlas, y esta persona superó todo eso e hizo algo de dinero logrando algo en una nueva industria. Eso es un logro para cualquier persona a cualquier edad.

Luego se pasó a dirigir una serie de pequeñas empresas en los dormitorios, haciendo y actualizando computadoras y consolas; no era gran cosa, pero la mayoría de los niños que conocí en la universidad sólo fueron a la escuela y pasaron su tiempo platicando.

Luego llegó el momento en que estaba ganando dinero en el campus de Penn haciendo fiestas y cobrando una entrada de cinco dólares. Él y su compañero juntaron lo suficiente en una noche para cubrir el alquiler por un mes. Llamarlo emprendedor no parece definirlo por completo.

Luego llegaron las grandes ideas. Él salió e hizo Zip2 mientras estaba en Stanford, lugar que abandonó después de un corto tiempo. Luego enredó a su hermano en las ideas de software en las que estaba trabajando. Si aún no lo has buscado en Google, Zip2 es una especie de directorio que visualiza al anunciante en un mapa. Es algo como lo que hace Google Maps. Solo que esto surgió un año antes que Google. Google comenzó su negocio de búsqueda en 1998 y no ingresó sus mapas hasta después. Pero la idea de Google Maps era más o menos similar a la de Zip2.

Su siguiente idea fue X.com, y sabemos que se convirtió en PayPal, y sabemos cómo terminó eso. Luego, dio lugar a SpaceX y Tesla. Estas compañías, tan exitosas como lo son ahora, tuvieron dolores intensos al iniciar por primera vez. Los dolores de cabeza que causaron no eran poca cosa. Afectaron a Musk a un nivel profundo y psicológico, y él simplemente no podía aceptar la derrota. Pero antes de eso, ya había comenzado a invertir en otros lugares. Mientras que estuvo hasta el final de PayPal, invirtió en una compañía que fue fundada por su amigo y primo de la infancia, Lyndon Rive. Esa compañía, Everdream Corp, fue vendida a Dell y Musk obtuvo algunas ganancias con esa venta.

Del mismo modo, invirtió en una compañía de satélites mientras estaba construyendo SpaceX. La sinergia era obvia y quería asegurarse de que también tuviera un cliente que algún día pudiera usar los servicios de SpaceX. Fue nombrado director de la compañía, que finalmente lo dejó para centrarse en sus otros negocios más urgentes.

Luego invirtió y promocionó SolarX, que todavía está en curso y busca revolucionar la forma en que cosechamos y distribuimos energía. No solo ha cambiado la infraestructura y la fuente de energía, sino la arquitectura de las distribuciones y el consumo de la misma. Esta es una reinvención holística de la forma en que vemos y usamos el poder.

Sin embargo, sus inversiones y las participaciones más pequeñas que conocemos que salpicaron el periódico y la web, no son la extensión de sus actividades empresariales. Falta más por venir y, con los esfuerzos bien conocidos y los nuevos esfuerzos como guía, empezarás a ver hacia dónde quiere llevar el mundo.

SpaceX en sí es visto como una compañía de cohetes. Pero no te confundas con las explosiones y el lanzamiento del Roadster al espacio. Admito que mi experiencia con la transmisión en vivo me distrajo de la verdadera joya que es esta. Mientras que la mayor parte del hardware está fuera de la plataforma, y el hardware adicional que estaba por encima de ella fue construido a propósito, el software que coordina todo el asunto y el que ejecuta los sistemas individuales se construyó desde cero.

Él, por supuesto, ha discutido el Hyperloop y ha tomado posiciones con el competidor de PayPal, Stripe. También ha realizado una serie de inversiones en empresas de IA y, según él, la inversión no tiene fines de lucro, sino más bien sirve para vigilar el progreso de la IA. Hay algo acerca de la IA que realmente asusta a Musk, y ha estado advirtiendo a todos a su alrededor que la AI es la perdición del mundo. En realidad no es inesperado porque, si has estado prestando atención, la forma en que se desarrolló e inspiró fue con los programas de televisión y películas. Cuando observas la forma en que las películas han visto la AI y la toma del mundo, puedes imaginar lo que está alimentando su imaginación.

Eso me lleva a la mayor parte de su impulso y pasión.

El futuro según Musk, es realmente el futuro que las luminarias como Carl Sagan e Isaac Asimov han imaginado. Este lector ávido ha tomado la imaginación de esos hombres y ha hecho algo al respecto. Entonces, demos crédito a quien se lo merece.

Si bien Musk no es el visionario que todos piensan que es, ciertamente tiene el impulso para hacer que las cosas sucedan. Necesitamos todo tipo de visionarios en este mundo. Piensa en la bomba atómica, por ejemplo. Se basó en la ecuación de Einstein, la idea y la teoría, pero la bomba en sí misma fue construida por un grupo diferente de personas. Piensa en Apple. La computadora en sí fue construida por Woz, pero Jobs fue quien la llevó al éxito. Hay muchos tipos de éxito y, si realmente queremos encontrar la cuerda que vibra en cada uno, debemos decir qué es lo que los hace triunfar. Si eres fanático de Musk, pero estás buscando esa idea original, entonces estás en el lugar equivocado.

Lo mejor que puedes tomar la experiencia de Musk depende de dos cosas: La primera depende de tu situación personal, y la segunda es la forma en que se eliges ver los logros de Musk ha hecho en el curso de los últimos veinte años, y más allá.

Musk es indudablemente un personaje complejo. Y les pido que no culpen su debilidad, sino que gasten su energía entendiéndolo para que puedan evitar esos mismos errores.

Poco después de recibir el pago del trato de Zip2, aparte de la F1 que compró, también compró un avión de un motor; sin duda fue impulsado por los fantasmas de sus recuerdos y la imaginación encendida por las historias de abuelo Haldeman.

Le tomó cerca de seis meses obtener la licencia, y no fue porque le fuera difícil conseguir la licencia para ser un piloto privado de aeroplanos, sino porque tenía que hacer muchas cosas a raíz de la transacción de Zip2.

Pero su entusiasmo por volar no es algo que fuera pasajero. Él se ve a sí mismo siendo capaz de pilotar el vehículo a Marte y se ve muriendo en Marte en algún momento en el futuro, pero no al mismo tiempo.

La visión de Marte que él tiene no sólo se asienta profundamente, sino que viene naturalmente de él. Hay ciertas cosas con las que te cruzas en la vida que simplemente sabes que harás o lograrás. Hay ciertas cosas que sé con tanta certeza en mi vida que no me preocupo si van a suceder; me impaciento porque hoy no fue el día en que sucedió. Musk es de la misma manera; todos servimos para muchísimas cosas. Para Bill Clinton, el día en que estrechó la mano de JFK, sabía un día sería presidente. Para Einstein, quien sabía que algún día construiría una vida alrededor de un mundo, descifrando los secretos del Universo, a diferencia de la dirección que le indicaba su padre: ser un ingeniero y ganarse la vida siéndolo. Para Edison, él sabía que la bombilla y muchos otros inventos eran solo cuestión de tiempo. De la misma manera, Musk sabe con certeza que caminar en Marte está en su futuro y, por eso, también podemos saber con certeza que nuestra especie aterrizará en Marte y que eso también está en nuestro futuro.

Ese es el verdadero valor de Musk en nuestra sociedad; levanta todo hasta un punto que sólo podemos imaginar. Sus sueños son los sueños de una nación, de un planeta y de esta especie. Sé, cuando estuve sentado para ver el lanzamiento del Falcon Heavy, que me di cuenta de que había estado esperando este momento durante mucho

tiempo; d
lo estaba ha
Virgin Galactic
Blue Origin de Be
palabras, conjeturas

Ver que el Falcon Heavy s
con aparente facilidad, exper
de la gente que estaba en la
poderoso cohete levantó sin esfuer
de liberar su carga, era un sentido
emoción que no había sentido desde que
nos había llevado a la proyección de la p
entrega de *La Guerra de las Galaxias*.

Musk hizo que todo eso cobrara vida. Y por eso
estoy agradecido.

Hay mucho que podemos aprender de la vida que
Musk ha llevado. Hay mucho que podemos
observar en las decisiones y errores que ha
cometido. La más obvia es que cualquiera puede
ser lo que sueñe si está dispuesto a nunca darse por
vencido.

e hecho, había renunciado porque nadie
ciendo. Claro, se hablaba de ello en el
e Branson. Sí, se habló de ello en el
zos, pero todo eso se quedó en
juicios. Esto fue real.

e dirigía hacia el espacio
rimentando la alegría
tierra cuando el
zo al momento
infantil de
mi padre
rimera

Encuentro una tremenda inspiración al mirar a los hombres de esta generación que han movido las montañas a un lado y han acercado los planetas. He mirado la vida y los logros de los hombres como Sir Richard Branson, Steve Jobs, Bill Gates, entre otros, y he encontrado que todos estos hombres tienen un ADN similar cuando se trata de áreas clave. El más común de todos es que estos hombres son implacables en su búsqueda e inflexibles en la realización de sus sueños.

Musk se encuentra arriba de la lista. Llegó a las costas de Norteamérica con un sueño y un par de cientos de dólares, sin nadie en quien pudiera confiar y pasar la noche. Salió de una sociedad represiva bajo un régimen racista y se centró en el área que mejor se adaptaba a lo que quería hacer, pero luego no se rindió. ¿Cuántos de nosotros podemos decir que perseguimos nuestros sueños en el horizonte? ¿Cuántos de nosotros podemos decir que nunca aceptaremos un no por respuesta?

Para el ojo común, Musk es obsesivo en su búsqueda. Para que cualquiera tenga éxito, ese es un requisito previo. Jobs fue de la misma manera. Sin embargo, Musk ha trabajado para retratar su vida de una manera coreografiada y precisa. De ello se desprende una coreografía que inicia con sus relaciones, aspiraciones, logros resultantes, y el estilo de vida. Todo es altamente planificado y ejecutado, y los que no encajan son alterados o mejorados. Al igual que el color de cabello de Justine y Tallulah.

Sé que no lo pensarías, pero Musk es realmente un maestro de las ilusiones. Es un genio para hacer que las cosas sucedan, pero luego están los detalles de su imaginación que, cuando no aparecen, hacen que él se tome la molestia de pintar con un aerógrafo cuando puede. Pero tengo que darle mucho crédito por eso porque este es un hombre que ve una imagen en su cabeza y trata de verla terminada. Él es como Arnold Schwarzenegger. Schwarzenegger tuvo una idea de cómo debía verse su cuerpo cuando era fisicoculturista y la persiguió implacablemente a pesar de lo mucho que dolía o lo que fuera que el dolor implicara.

Musk hizo lo mismo. No solo entraba en ese horno –que debió haberse sentido como en las profundidades del infierno– y trabajaba en él, sino que tenía una visión para la que estaba trabajando y la logró.

La fidelidad a la imagen que tienes en su cabeza es lo que hace que un hombre logre lo que necesita para tener éxito. Esa es la primera regla, por delante de todas las reglas. Cualquier cosa menos representa la visión como una fantasía y nada más.

Musk asumió un gran riesgo al mudarse de Pretoria a Canadá; asumió un gran riesgo al viajar por el país en busca de familiares, y asumió enormes riesgos al invertir en tecnologías espaciales y automotrices.

Pero el riesgo para un hombre en esa área no es el mismo que el riesgo para un hombre que no está destinado al éxito. El camino hacia el éxito no está tallado por el cuchillo del azar; está pavimentado por las lecciones de los errores.

La mayoría de ustedes ven el riesgo como algo que mitigar. Al considerar el riesgo como inevitable, puedes ver la inevitabilidad del fracaso. Para quienes tienen éxito, ya sea Jobs o Musk, Gates o Jack Ma, el éxito es inevitable. El riesgo que corren no es el riesgo que comprenden. Para ellos, solo es un camino que se puede superar con un esfuerzo implacable y una mente aguda para la observación. No necesitas ser súper inteligente o tener un CI de 180. Debes estar dispuesto a aprender y a cometer errores y recuperarte.

Musk no es alguien que ha tenido éxito tras éxito, sin tener que probar el fracaso. Eso está más alejado de la verdad. Ha habido ocasiones en que ha cometido errores y hay veces en que ha fallado. Toma la compañía en la que invirtió y verás que era bastante Gung Ho. Era una empresa que intentaba perfeccionar la secuenciación del genoma humano. Era una compañía en donde te acercas a ellos, les das una muestra de tu sangre, esperas diez minutos y te darán una lectura detallada de tu secuencia genética. Suena bastante simple, pero Musk no pudo hacerlo funcionar y, como ya sabe que no se trata del esfuerzo, también sabe cuándo retirarse.

"Sé sincero contigo mismo," dice el maestro de la literatura, William Shakespeare. Sean cuales sean sus características y defectos, lo único que lo que Musk siempre ha sido claro, independientemente de las palabras que usa para expresarlo, es que siempre ha sido fiel a sí mismo. Él entiende sus necesidades y sus sueños, y conocer los recursos que tiene dentro de él para convertir algo intangible en algo material.

Todas sus decisiones fueron hechas según estos principios y, además, supo ser sincero consigo mismo. Es una distracción menos con la que debes lidiar para cuando quieras ver el lanzamiento de tu cohete. En vez de obligar a algo que no funcionaba, encontró el camino para hacerlo realidad, superando los viejos diseños. Al unir los diseños de Falcon y Dragon, basados en hardware existente, pero reduciendo las áreas innecesarias y completándolo con software, los cohetes se elevaron más por menos, en términos de recursos y propelente. Puede ser una gran huella de carbono, pero sus cálculos e ideas de diseño hicieron que esa huella fuera un 70% menor de lo que hubiera sido para la misma carga útil.

Musk no es el Edison de esta generación, al igual que Einstein no era el Newton de la última generación. Eran dos hombres diferentes impulsados en dos tiempos diferentes, con dos entornos diferentes que lograron hacer dos logros muy diferentes. Hemos demostrado que no podríamos prescindir de las creaciones de Edison, y así la historia demostrará en unos pocos cientos de años que no lo hubiéramos logrado sin los esfuerzos actuales de Musk. Su temor de que nos estamos quedando sin tiempo en términos de degradación ambiental funcionará para el beneficio eventual de la humanidad. Si no fuera por su temor, probablemente nos estaríamos enfrentando al poco sustento necesario que le da a nuestra especie una manera de alargar la existencia sin perecer bajo el peso de un entorno que cambia rápidamente. Su idea de terraformar Marte y **crear** un medio viable para el transporte de la sociedad será el salvavidas que necesitaremos en el futuro.

¡Le deseo buena suerte!

Si disfrutaste aprender sobre Elon Musk, te agradecería eternamente si pudieras dejar una reseña. Las reseñas son la mejor manera de ayudar a los lectores a encontrar libros geniales. Así que ¡asegúrate de ayudarlos! ¡Gracias de antemano!

Asegúrate de revisar el primer libro de la serie 'Visionarios Billonarios':

Jeff Bezos: La Fuerza Detrás de la Marca

138

Made in United States
Orlando, FL
15 April 2022

16879147R00083